D1083264

Marc Chagall

Stock

MA

Marc Chagall
vie

traduction de Bella Chagal

avec 31 dessins de jeunesse et 1
reproductions d'eaux-fortes de l'auteur

Dix ans se sont écoulés entre le moment où fut écrite MA VIE et celui où le livre parut en librairie : alors que Chagall avait rédigé ses souvenirs en langue russe durant les années où la guerre de 1914 l'obligeait à séjourner à Moscou et à Vitebsk, c'est dans le pays qu'il a choisi qu'ils furent publiés.

Il fut pourtant sollicité de donner son récit en langue allemande ; un éditeur de Berlin avait prévu une somptueuse publication avec de nombreuses eaux-fortes de l'auteur ; ce livre ne parut jamais et Cassirer se contenta de publier sous le titre MEIN LEBEN un album de vingt de ces gravures. Quant aux dessins préparatoires, nous eûmes la joie d'en donner la primeur au public français en même temps que le texte traduit par Madame Bella Chagall.

Puis trente années s'écoulèrent au cours desquelles la gloire du grand peintre ne cessa de croître. Après s'être rendu en Palestine pour préparer les illustrations de la Bible commandées par Vollard, il émigra au début de la guerre aux Etats-Unis où il continua à évoquer dans ses toiles les deux lieux qu'il aime pardessus tout : la Russie de son enfance et ce Paris qui l'a adopté et qu'il a regagné aussitôt la paix reconquise. Sa vie se partage désormais

entre sa maison de Vence et son appartemen
de l'île Saint-Louis.

C'est toute sa jeunesse que l'on retrouv
dans le livre que nous rééditons aujourd'hu
avec les eaux-fortes et les pointes sèches parue
à Berlin en 1923, mais que le public français n
connaît guère.

Son âge mûr, il nous le racontera, nou
l'espérons, dans un nouveau volume de souve
nirs aussi attachants assurément que ceux qu
nous rendons aujourd'hui au lecteur françai

Georges CHARENSOL

à mes parents,

à ma femme,

à ma ville natale.

m. c.

Ce qui d'abord

m'a sauté aux yeux, c'était une auge.

Simple, carrée, moitié creuse, moitié ovale. Une auge de bazar. Une fois dedans, je la remplissais entièrement.

Je ne me souviens plus — est-ce ma mère qui me l'a raconté — juste au moment de ma naissance, aux environs de Witebsk, dans une petite maisonnette, près de la chaussée, derrière une prison, un grand incendie éclata.

La ville était en feu, le quartier des pauvres juifs.

On a transporté le lit et le matelas, la mère et le bébé à ses pieds dans un lieu sûr, à l'autre bout de la ville.

Mais, avant tout, je suis mort-né.

Je n'ai pas voulu vivre. Imaginez une bulle blanche qui ne veut pas vivre. Comme si elle s'était bourrée de tableaux de Chagall.

On l'a piqué avec des épingles, on l'a plongé dans un seau d'eau. Enfin, il rend un faible piaulement.

Pour l'essentiel, je suis mort-né.

Je voudrais que les psychologues ne tirent pas de cela des conséquences inconvenantes. De grâce !

Cependant, cette maisonnette, près de la chaussée de Peskowatik, était restée intacte. Je l'ai vue, il n'y a pas longtemps.

Mon père, à peine enrichi, l'a vendue. Elle me rappelle la bosse sur la tête du rabbin en vert, que j'ai peint, ou une pomme de terre, jetée dans un tonneau de harengs et trempée dans la saumure. Contemplant cette maisonnette du haut de ma « grandeur » récente, je me crispais et me demandais :

« Vraiment, où ai-je pu naître ici ? Comment respire-t-on ici ? »

Mais quand mon grand-père, à la barbe longue et noire, honorablement mourut, mon père acheta, pour quelques roubles, un autre bien.

Dans le voisinage, plus d'hospice d'aliénés, comme au Peskowatik. Alentour, des églises, des clôtures, des boutiques, des synagogues, simples et éternelles, comme les bâtiments sur les fresques de Giotto.

Autour de moi viennent et reviennent, tournent et se retournent ou trottent bonnement toutes sortes de Juifs, de vieux et de jeunes, de Javitch's, de Bejlines. Un mendiant court vers sa maison, un richard rentre à la maison. Le gosse de « chéder » court à la maison. Papa va à la maison.

En ce temps-là, il n'y avait pas encore de cinéma.

On allait à la maison, ou à la boutique. Voilà ce que je me rappelle après mon auge.

Je ne dis rien du ciel, de mes étoiles enfantines.

Ce sont mes étoiles, mes douces ; elles m'accompagnent à l'école et m'attendent dans la rue jusqu'à ce que je revienne. Pauvres, excusez-moi. Je vous ai laissées seules sur une hauteur si vertigineuse !

Ma ville triste et joyeuse !

Enfant, je t'observais de notre seuil, puéril. Aux yeux enfantins, tu apparais claire. Lorsque la cloison me gênait, je montais sur une petite borne. Si encore ainsi je ne te voyais pas, je montais jusqu'au toit. Pourquoi pas ? mon grand-père y montait aussi.

Et je te contemplais à l'aise.

Ici, dans la rue Pokrowskaja, je naquis pour la deuxième fois.

Avez-vous vu quelquefois, sur les tableaux des Florentins, un de ces personnages à la barbe jamais tondue, aux yeux bruns et cendreux à la fois, d'un teint d'ocre cuite et couvert de plis et de rides ?

C'est mon père.

Ou si vous avez vu une des figures de l'Agade, leur aspect pascal et bêtasse. (Pardon, mon petit père !)

Tu te souviens, j'ai fait une étude d'après toi. Ton portrait aurait dû produire l'effet d'une bougie, qui s'enflamme et s'éteint en même temps. Son odeur — celle du sommeil.

Une mouche bourdonne — maudite — à cause d'elle je m'endors.

Faut-il parler de mon père ?

Que vaut un homme s'il ne vaut rien ? S'il est inestimable ? Et c'est pour cela qu'il m'est difficile de trouver pour lui les mots justes.

Mon grand-père, précepteur religieux, n'a rien imaginé de mieux que de placer mon père — son fils aîné — dès son enfance, commis dans un dépôt de harengs et son fils cadet chez un coiffeur.

Non, il n'a pas été commis, mais, pendant trente-deux ans, simple ouvrier.

Il soulevait des tonnes pesantes et mon cœur se crispait comme un craquelin turc en le regardant soulever ces fardeaux et remuer de petits harengs avec ses mains gelées. Son gros patron se tenait de côté comme un animal empaillé.

Les vêtements de mon père luisaient parfois de la saumure des harengs. Au-delà tombaient des reflets, d'en haut, par côtés. Seule, sa figure, tantôt jaune, tantôt claire, adressait de temps en temps un faible sourire.

Quel sourire ! D'où venait-il ?

Il soufflait de la rue, dans laquelle rôdaient des passants obscurs, reflétant le clair de lune. Soudain, je vis briller ses dents. Je me souvenais de celles du chat, de la vache, de dents quelconques.

Tout me semblait énigme et tristesse dans mon père. Image inaccessible.

Toujours fatigué, soucieux, il n'y avait que ses yeux qui donnaient un reflet doux, d'un bleu grisâtre.

Dans ses vêtements, graissés et salis par le travail, aux larges poches, d'où sortait un mouchoir d'un rouge terne, il rentrait à la maison, haut et maigre. Le soir entrait avec lui.

De ses poches il tirait une pile de gâteaux, de poires gelées. De sa main ridée et brune il les distribuait, à nous, enfants. Elles passaient dans la bouche avec plus de délice, plus de saveur et plus transparentes que si elles étaient venues du plat de la table.

Et un soir sans gâteaux et sans poires tirées des poches de papa, c'était un soir triste pour nous.

Il n'y a qu'à moi qu'il était familier, ce cœur du peuple, poétique et émoussé de silence.

Il toucha, jusqu'aux tout dernières années « chères », quelques humbles vingt roubles. De petits pourboires d'acheteurs augmentaient à peine son budget. Quand même, mon père n'a pas été un pauvre jeune homme.

La photographie du temps de sa jeunesse et mes observations sur notre garde-robe me prouvaient qu'il épousa ma mère, armé d'une certaine puissance physique et financière, puisqu'il a offert à sa fiancée — une jeune fille de toute petite taille, encore grandie après son mariage — une écharpe magnifique.

Marié, il cessa de remettre à son père son salaire et tint son ménage.

Mais je voudrais d'abord achever la silhouette de mon grand-père barbu. Je ne sais pas si pendant longtemps encore il enseigna à ses élèves. On dit qu'il a été un homme respectable.

Visitant au cimetière — il y a dix ans — sa

tombe avec ma grand-mère et observant son monument, je me suis persuadé qu'il a été un homme honorable. Un homme inestimable, un saint.

Il repose tout près de la rivière, à la clôture noire où s'écoule l'eau trouble. Au-dessous de la colline, près d'autres « saints » morts depuis longtemps.

Bien usée, elle s'est conservée tout de même, sa pierre tumulaire aux lettres gravées en hébreu : Ici repose...

La grand-mère me la désignait d'un doigt : « Voilà la tombe de ton grand-père, père de ton père et mon premier mari. »

Elle marmottait de ses lèvres, sans savoir pleurer. Chuchotait des mots, soit des mots à elle, soit des prières. Je l'écoutais se lamenter, inclinée sur le monument, comme si cette pierre et cette petite colline étaient mon grand-père, comme si elle s'adressait au fond de la terre ou comme si c'était une armoire quelconque, où reposât un objet, enfermé pour toujours.

« Je te supplie, David, prie pour nous. Voici ta Bachewa. Prie pour ton fils malade Chaty, pour ton faible Zoussy, pour leurs enfants. Prie pour qu'ils soient des hommes honnêtes envers Dieu et envers le monde. »

Par contre, la grand-mère m'était plus familière. Cette bonne femme n'était faite que d'un fichu autour de sa tête, d'une petite jupe et d'une figure ridée.

Une taille d'un petit mètre.

Au cœur, l'amour dévoué à ses quelques enfants préférés et à son livre de prières.

Devenue veuve, elle épousa, avec approbation du rabbin, mon second grand-père, père de ma mère, veuf lui-même. Ce premier couple mourut dans l'an du mariage de mes parents. Au trône monta ma mère.

Toujours mon cœur se serrera

— est-ce de sommeil, est-ce d'un souvenir soudain, à l'anniversaire de sa mort ? — en visitant sa tombe, la tombe de ma mère.

Il me semble que je te vois, maman.

Tu t'avances doucement vers moi. Si lentement que je veux t'aider. Tu souris de mon sourire. Ah ! ce sourire, le mien.

Ma mère était née à Lyozno, où j'avais peint la

maison du curé, devant la maison la clôture et, devant la clôture, les cochons.

Pope ou pas pope. Il sourit en passant, luisant de sa croix ; il va faire le signe sur moi. Il caresse sa hanche de sa main. Les cochons, comme de petites chiennes, courent à sa rencontre.

Ma mère était la fille aînée de mon grand-père qui, la moitié de sa vie, se reposa sur le poêle, le quart dans la synagogue et le reste dans la boucherie. Il se reposa tant que la grand-mère n'y put résister et mourut dans la fleur de son âge.

C'est alors que le grand-père se mit à bouger. Ainsi se sont remués les vaches et les veaux.

Est-ce que vraiment ma mère était de taille trop courte ?

Mon père l'épousa sans la regarder. Mais c'est une erreur.

A nos yeux, la mère avait une expression rare, autant que cela était possible dans son milieu du faubourg.

Mais je ne voudrais pas dire du bien, trop de bien de ma mère qui n'est plus ! Puis-je en parler ?

Parfois, je voudrais ne pas parler, mais sangloter.

Au cimetière, à la porte je m'élance. Plus léger qu'une flamme, qu'une ombre aérienne, je cours verser des larmes !

Je vois le fleuve s'éloigner, le pont plus loin et de tout près la clôture éternelle, la terre, la tombe.

Voici mon âme. Cherchez-moi par ici, me

voilà, voici mes tableaux, ma naissance. Tristesse, tristesse !

Voilà son portrait.

C'est égal. N'y suis-je pas moi-même ? Qui suis-je ?

Tu souriras, tu seras étonné, tu vas rire, homme passager.

Lac de souffrances, cheveux gris trop précoces, yeux — une ville de larmes, âme qui n'est presque pas, cerveau qui n'est plus.

Qu'y a-t-il donc ?

Je la vois gouverner toute la maison, diriger mon père, bâtir sans cesse de petites maisons, fonder une épicerie, y amener toute une voiture de marchandises, sans argent, à crédit. Par quels mots, quels moyens la montrer souriante, devant la porte ou à la table, longuement assise en attendant un voisin quelconque pour pouvoir, dans sa détresse, délivrer son esprit ?

Le soir, lorsque la boutique était fermée, tous les enfants déjà rentrés, papa s'assoupissait à table, la lampe se reposait et les chaises s'ennuyaient ; du dehors, on ne savait plus où était le ciel, où s'était sauvée la nature, non que l'on fît silence, mais simplement tout restait inactif. Maman était assise devant le haut poêle, une main sur la table, l'autre sur son ventre.

Sa tête pointait vers le haut, là où se tenait sa coiffure, agrafée d'une épingle.

Elle frappait d'un doigt sur la table, couverte

d'une toile cirée, frappait plusieurs fois, ce qui signifiait :

« Tout le monde dort. Quels enfants ai-je ! Je n'ai personne avec qui causer. »

Elle aimait parler. Elle tournait les mots, les tendait si bien que l'interlocuteur, embarrassé, souriait.

Sans changer son attitude, remuant à peine les lèvres sans ouvrir la bouche, la coiffure pointue à sa place, elle interrogeait, se taisait ou parlait, comme une reine. Mais il n'y a personne. De loin, moi seul, je la suivais.

Elle me demandait :

« Mon fils, cause avec moi. »

Je suis un gosse et maman une reine. De quoi parler ?

Elle se fâche, frappe plus fréquemment la table de son doigt.

Et la maison s'enveloppe d'un voile triste.

Vendredi, après le dîner de sabbat, lorsque le père s'endormait infailliblement, toujours au même moment, la prière inachevée (à genoux devant toi, petit père !) ses yeux devenaient tristes et elle disait à ses huit enfants :

« Enfants, chantons la chanson du rabbin, aidez-moi ! »

Les enfants chantaient, s'endormaient. Elle commençait à pleurer et je disais :

« Tu commences déjà, alors je ne chanterai plus. »

Je voudrais dire, que c'est en elle, quelque part, que s'était caché mon talent, que c'est par elle que tout m'était transmis, sauf son esprit.

Voilà, elle s'approche de ma chambre. (Chez Javitch, dans la cour.)

Elle frappe et demande :

« Mon fils, tu es là ? Qu'est-ce que tu fais ? Bella était chez toi ? Tu veux manger ? »

« Regarde, maman, cela te plaît ? »

Elle observe ma peinture avec des yeux, Dieu sait lesquels !

J'attends la sentence. Enfin, elle prononce, lentement :

« Oui, mon fils, je vois ; tu as du talent. Mais, mon enfant, écoute-moi. Peut-être serais-tu plutôt commis. Je te plains. Avec tes épaules. D'où vient cela chez nous ? »

Elle était non seulement notre mère, mais aussi celle de ses propres sœurs. Si l'une d'elles devait se marier, c'était ma mère qui décidait si le fiancé convenait. C'était elle qui jugeait, s'informait, interrogeait. Si le fiancé habitait une autre ville, elle y allait et, dès qu'elle avait appris son adresse, elle se dirigeait vers la boutique d'en face, et achetant quelque chose, elle se mettait à parler. Et dans la soirée, elle essayait même de regarder par la fenêtre dans la maison du fiancé.

Tant d'années se sont écoulées, depuis qu'elle est morte !

Où es-tu, maintenant, petite mère ? Au ciel, sur la terre ? Je suis ici, loin de toi. Je serais plus à l'aise, si j'avais été plus près de toi ; au moins aurais-je regardé ton monument, touché ta pierre.

Ah ! maman. Je ne peux plus prier et je pleure de plus en plus rarement.

Mais mon âme pense à toi, à moi, et ma pensée se consume dans le chagrin.

Je ne te demande pas de prier pour moi. Tu sais toi-même que de peines je puis avoir. Dis-moi, petite mère : de l'autre monde, du paradis, des nuages, de là où tu es, te console-t-il, mon amour ?

Pourrai-je de mes paroles filer pour toi de la douceur, tendre et caressante ?

Au cimetière à côté d'elle,

Brochures gratuites d'information sur le thé

Recevez gratuitement des brochures d'information du Conseil Canadien du Thé

Merci pour avoir acheté le filtre de "Brita Filter." Vous pourrez désormais déguster de l'eau clair comme le cristal ou l'employer pour la préparation pour votré thé préféré.

Let thé se classe au deuxième rang des boissons les plus populaires au monde, immédiatement après l'eau. Les origines du thé remontent à la Chine ancienne, et le commerce du thé entre les nations a constitué l'un des principaux stimulants de l'exploration du monde et de la formation des civilisations.

La préparation et la dégustation du thé est une tradition sociale, populaire depuis des siècles. Le thé est une boisson rafraîchissante et économique qui convient parfaitement à nos styles de vie modernes.

Des articles intéressants sur l'histore, les aspects sociaux et les propriétés bénéfiques du thé sont offerts aux acheteurs du filtré de Brita "Filter."

Voici comment commander vos brochures gratuites

Oui, j'aimerais recevoir les brochures suivantes du Conseil Canadien du Thé.

☐ Le monde du thé
☐ Les réunions d'amis et le thé
☐ Le bon conditionnement physique et le thé

Postez le bon de commande à:

Offre de brochures du
Conseil Canadien du Thé,
701 Evans Avenue, #501,
Etobicoke, Ontario M9C 1A3

Nom____________________

Rue______________ App.______

Ville__________ Province______ Code______

Référence CCW

Free Tea Information Books

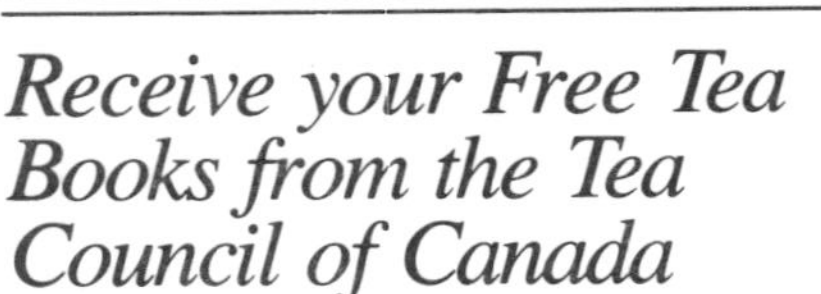

Receive your Free Tea Books from the Tea Council of Canada

Thank you for purchasing the "Brita Filter." You will now be able to enjoy crystal clear water to either drink or use in the preparation of your favourite tea.

"Tea" is the world's most popular beverage, next to water. The origins of tea date back to ancient China and the importing and exporting of tea by trading nations was one of the major stimuli for world exploration and civilization.

The preparation and serving of tea is a social tradition which has been popular for centuries. Tea is the refreshing, economical beverage perfectly suited to today's contemporary lifestyles.

Interesting reading on the history of tea, the social aspects of tea, and tea as a fitness beverage is being offered to purchasers of the "Brita Filter."

Here's How to Order Your Free Books

Yes, I would like to receive the following Free Books from the Tea Council of Canada.

- ☐ The World of Tea
- ☐ Being Social with Tea
- ☐ Keeping Fit with Tea

Mail this order form to:

Tea Council Booklet Offer,
701 Evans Avenue, Suite 501,
Etobicoke, Ontario M9C 1A3

My name is____________________

Address________________ Apt.______

City__________ Province________ Code______

d'autres femmes reposent, de Mohileff ou de Lyozno. Des cœurs reposent. Déchirements, catarrhes quelconques. Je les connais. Toujours le même cœur, à cause duquel mourut ma jeune grand-mère rose, excédée de travail, lorsque le grand-père passait ses journées dans la synagogue ou sur le poêle. Le même cœur merveilleux, après le jeûne du Jour de Pardon, au soir de la lune, vers le nouvel an.

Cher jeune vieillard !

Que je t'aimais lorsque j'étais à Lyozno dans tes appartements, sentant la peau de vache desséchée ! J'aimais tes peaux de mouton. Toute ta garde-robe était toujours accrochée dans l'entrée, à la porte, et le portemanteau, avec des vêtements, des chapeaux, le fouet et le reste formait une certaine silhouette sur le fond gris du mur que je n'ai pas encore assez examinée. Tout cela était mon grand-père.

Dans son étable se trouve une vache ventrue ; elle se tient debout et regarde obstinément.

Grand-père s'approche et lui parle ainsi :

« Hé, écoute, donne tes jambes, il faut te lier, on a besoin de la marchandise, la viande, tu entends ? »

Elle tombe avec un soupir.

J'étends mes bras pour embrasser son museau, pour lui souffler quelques mots, qu'elle ne s'inquiète pas, je ne vais pas manger la viande ; que pourrais-je faire de plus ?

Elle entend flotter le seigle et derrière la haie elle voit le ciel bleu.

Mais le boucher, en blanc et noir, le couteau à la main, retrousse ses manches. A peine entend-on la prière et, lui redressant le cou, il lui enfonce l'acier dans la gorge.

Du sang à flots.

Impassibles, les chiens, les poules autour attendent une goutte du sang, un morceau tombé par hasard sur le sol.

On n'entend que leur gloussement, leur frôlement et les soupirs du grand-père dans les flots de graisse et de sang.

Et toi, vachette, nue et crucifiée, dans les cieux, tu rêves. Le couteau resplendissant t'a élevée dans les airs.

Silence.

Les intestins se retournent et les morceaux se séparent. La peau tombe.

Les morceaux roses, ensanglantés coulent. La vapeur monte.

Quel métier dans les mains !

J'ai envie de manger la viande.

Ainsi, tous les jours, on tuait deux, trois vaches et la viande fraîche s'offrait au propriétaire du domaine et aux autres habitants.

La maison du grand-père était remplie pour moi des sons et des odeurs de l'art.

Ce n'était que les peaux suspendues, séchant comme du linge.

Dans l'obscurité des nuits, il me semblait que ce n'étaient pas seulement les odeurs, mais tout un troupeau du bonheur, crevant les planches, volant dans l'espace.

On égorgeait les vaches cruellement. Je pardonnais tout. Les peaux se séchaient saintement, faisaient de tendres prières, priaient le ciel-plafond pour l'expiation des péchés de leurs meurtriers.

Ma grand-mère me nourrissait toujours de viande singulièrement rôtie, grillée ou cuite. Qu'était-ce ? Je ne le savais pas exactement. Peut-être le ventre, le cou, ou les côtes, le foie, les poumons. Je ne savais pas.

J'étais donc, en ce temps-là, particulièrement bête et, me semble-t-il, heureux.

Grand-père, je me souviens encore de toi.

Un jour, se heurtant au dessin d'une femme nue, il s'en détourna, comme si cela ne le regardait pas, ou comme si c'était une étoile étrangère sur la place du marché, dont les habitants n'avaient rien à faire.

Et j'ai compris alors que mon grand-père, ainsi que ma petite grand-mère ridée et tous les miens négligeaient complètement mon art (quel art, qui ne donne même pas de ressemblance !) et estimaient fort cher la viande.

Voici ce que m'a raconté encore ma mère de son père, mon grand-père de Lyozno. Ou peut-être je l'ai rêvé.

Les fêtes de « Suckess » ou de « Simchass-Thora ».

On le cherche partout.

Où est-il, où est-il ?

Il se trouva que par le beau temps qu'il faisait, le grand-père avait grimpé sur le toit, s'était assis sur les tuyaux et se régalait de carottes. Pas mal comme tableau.

Peu m'importe si les gens, avec joie et soulagement, découvrent, dans ces aventures innocentes de mes parents, l'énigme de mes tableaux.

Que cela m'intéresse peu ! Mes chers concitoyens, tant que vous voudrez !

Je vais vous raconter encore, s'il vous manque devant la postérité des preuves de votre justice et de ma culpabilité envers le bon sens, ce que ma mère m'a rapporté de mes jolis parents de Lyozno.

L'un d'eux n'a rien trouvé de mieux que de se promener dans la rue du faubourg, vêtu seulement d'une chemise.

Quoi ? Est-ce affreux ?

Le souvenir de ce sans-culotte remplira toujours mon cœur d'une joie ensoleillée. Comme si dans la rue de Lyozno en plein jour avait ressuscité la peinture de Masaccio, de Piero della Francesca. Je me sentais près de lui.

Mais je ne plaisante pas. Si mon art ne jouait aucun rôle dans la vie de mes parents, en revanche leur vie et leurs créations ont bien influencé mon art.

Vous savez, je m'enivrais près de la place de mon grand-père dans la synagogue.

Pauvre, malheureux, comme je me tournais, avant d'y arriver ! Face à la fenêtre, le livre de prières à la main, je contemplais à mon aise la vue du faubourg, le jour de sabbat.

Sous le bourdonnement de prières, le ciel me semblait plus bleu. Dans l'espace, les maisons reposent. Et chaque passant se montrait clairement.

Derrière mon dos, on commence la prière et mon grand-père est invité à la dire devant l'autel. Il prie, il chante, il se répète mélodiquement et revient au commencement. Comme si un moulin à huile tournait dans mon cœur. Ou comme si un nouveau miel, fraîchement recueilli, coulait au fond de moi.

Et, s'il pleure, je me souviens de mon dessin manqué et je pense : Serai-je un grand artiste ?

J'ai oublié de me souvenir de toi, petit oncle Neuch. Avec toi nous partions dans les campagnes chercher des bestiaux. Que j'étais heureux lorsque tu consentais à m'emmener dans ta carriole cahotante !

Tant bien que mal, ça allait. En revanche, il y avait de quoi regarder de tous les côtés.

Route, route, grès fin, et il renifle, mon oncle Neuch, et pousse son cheval : « nou, nou. »

Au retour, j'ai jugé qu'il me fallait montrer plus d'ingéniosité et de tours d'adresse et j'ai traîné la vache par la queue en la suppliant de ne pas rester en arrière. Passant le pont de planches, il me semblait que dans mon ventre se balançaient plusieurs côtelettes en bois. Les roues résonnaient autrement.

L'oncle ne regardait point le petit fleuve, les roseaux, les clôtures le long du bord, le moulin et, plus loin, la petite église unique, les maisonnettes sur la place du marché, où tout s'obscurcissait lorsque nous le traversions, fatigués, et moi, Dieu, ou je ne sais plus quoi dans mon cœur.

Tout le monde y marchande et derrière le comptoir les jeunes filles sont assises.

Je ne comprends rien.

Je viens d'arriver et elles m'appellent de leurs boutiques et me sourient. J'ai les cheveux qui frisent. Elles m'offrent des croissants, des bonbons. En vain mûrit la jeunesse. En suis-je coupable ? Ne puis-je donc pas me déchirer ?

Il serait plus intéressant de peindre mes sœurs et mon frère.

Avec quel amour je serais séduit par l'harmonie de leurs cheveux, de leur peau, avec quelle promptitude je sauterais en eux, enivrant les toiles et vous-même de l'exhalation de mes couleurs de mille ans !

Mais les décrire ! Je ne m'obligerai pas à dire au moins deux mots de mes tantes, dont l'une avait un nez long, un bon cœur et une dizaine d'enfants ; l'autre, un nez plus court et une demi-douzaine d'enfants, mais elle s'aimait plutôt elle-même — pourquoi pas ? La troisième, au nez comme un tableau de Moralès, avait trois enfants, dont l'un était bègue, l'autre sourd et le troisième encore dans la période de formation.

Tante Mariassja est la plus pâle.

Pourquoi donc, si pâlotte, habite-t-elle ce faubourg ?

Devant sa maison la boutique et les moujiks piétinent.

Les harengs dans les tonneaux, l'avoine, le sucre en forme de tête pointue, la farine, les bougies dans les enveloppes bleues, tout ça se vend.

La monnaie sonne.

Les moujiks, les marchands, les gens de Dieu chuchotent, puent.

La tante est couchée sur le divan. Les mains jaunes sont pliées, croisées. Ongles noir et blanc. Yeux blanc et jaune. Les dents brillent nébuleusement.

Robe noire à travers laquelle apparaît le corps allongé, épuisé.

Sa poitrine tombe et le ventre aussi.

Des sons saints résonnent au-dessous de ses pieds.

Peut-être mourra-t-elle bientôt et son corps se crispera en une douce extase dans la terre faubourienne.

Plus d'une fois j'ai rêvé qu'un morceau d'un croissant beurré tombait de ses mains dans ma bouche.

Je me mettais à la porte devant elle et, comme un mendiant, je regardais les plis de ce croissant.

Telle n'est pas tante Relly.

Son petit nez est comme un cornichon. Ses

petites mains et ses seins se pressent dans son corsage marron.

Elle cacarde, rit, s'agite, se frotte.

Une jupe par-dessus une autre, fichus au-dessous, au-dessus, et les dents voltigent vers les cheveux, où peignes et épingles s'embrouillent.

Elle jaillit de la crème fraîche, en m'invitant à goûter le fromage.

Son mari est mort. Leur tannerie s'est fermée. Dans le faubourg les chèvres se sont mises à pleurer.

Et tantes Moussia, Gouttja, Chaja !

Ailées comme les anges, elles voleraient à travers le marché, par-dessus les paniers de baies, de poires et de groseilles.

Les gens les regardent et demandent :

« Qui vole donc ainsi ? »

D'oncles, j'en ai eu aussi une demi-douzaine ou un peu plus.

Tous étaient de bons Juifs. Certains avec un ventre plus gros et une tête plus vide, les uns à la barbe noire, les autres à la barbe brune.

En somme, c'est la peinture.

Tous les samedis l'oncle Neuch mettait un taless, n'importe lequel, et lisait la Bible à haute voix.

Il jouait du violon, comme un cordonnier.

Le grand-père l'écoutait et rêvait.

Rembrandt seul aurait su ce que pensait le vieux grand-père, boucher, commerçant, chantre pendant que son fils jouait du violon devant la fenêtre, devant les vitres sales, couvertes de gouttes de pluie et de traces de doigts.

Derrière la fenêtre, la nuit.

Seul le curé dort et derrière lui, derrière sa maison, le vide, des esprits.

Mais l'oncle joue du violon.

Lui qui toute la journée menait les vaches dans l'étable, les traînait en nouant leurs jambes — joue maintenant, joue la chanson du rabbin.

Peu importe comment il joue ! Je souris, m'essayant sur son violon, sautant dans ses poches, sur son nez.

Il bourdonne, comme une mouche.

Seule ma tête vole doucement dans la chambre.

Plafond transparent. Nuages et étoiles bleues pénètrent en même temps que l'odeur des champs, de l'étable et des routes.

J'ai sommeil.

Je suis content de saisir les croûtes de pain, la cuillère, et de souper en tremblant.

L'oncle Leïba est assis sur un banc près de sa maison de campagne.

Un lac. Ses filles paissent comme des vaches rouges.

L'oncle Juda est toujours sur le poêle.

Il sort rarement, même pour aller à la synagogue.

Il prie à la maison, devant la fenêtre.

Il marmotte silencieusement, et son teint jaune descend sur la croisée, s'en va dans la rue, se couche sur la coupole de l'église. Il ressemble à une maison de bois au toit transparent.

J'aurais pu vite le dessiner.

L'oncle Israël est assis toujours à sa même place dans la synagogue, tenant les bras en arrière.

Il se réchauffe, les yeux fermés, devant le poêle.

La lampe brûle sur la table. Une ombre noire et épaisse se couche sur le plancher, sur l'autel.

Il lit et se balance, se balance et chante, marmotte et soupire.

Tout d'un coup, il se lève.

« Il est temps de faire la prière du soir. »

Déjà la nuit ! Étoiles bleues. Terre violette.

Les boutiques se ferment.

Bientôt on va servir le souper, — fromage, assiettes.

Pourquoi ne suis-je pas mort chez vous, sous la table ?

Mon oncle a peur de me tendre la main. On dit que je suis peintre.

Si je me mettais à le dessiner ?

Dieu ne le permet pas. Péché.

J'ai encore un oncle, Zussy ; il est coiffeur, le seul à Lyozno. Il pourrait être coiffeur même à Paris. Ses manières, ses moustaches, son sourire, son regard... Il demeurait à Lyozno. Là, il était une étoile. Étoilée était aussi sa fenêtre, la porte de son magasin. Au-dessus, une enseigne bleue, représentant un homme recouvert d'un drap blanc, avec la joue savonneuse, et un autre en train de le raser — de l'assassiner.

L'oncle me tondait et me rasait avec un amour impitoyable et était fier de moi (c'était le seul) dans tout le voisinage, même devant le Seigneur du faubourg.

Quand je fis son portrait et le lui offris, il jeta un coup d'œil sur la toile, puis se regardant dans la glace, réfléchit un peu et me dit :

« Eh bien, non, garde-le ! »

Que Dieu me pardonne, si dans ma description je n'ai pas mis tout cet amour bêlant, que j'ai, en général, pour tous les gens.

Et mes parents sont plus saints que les autres.

Je le veux ainsi.

Frôlement de verdures. Vos pierres. Vos tombes. Haies, rivière trouble, prières apaisées, tout cela est devant moi.

Point de mots. Tout se cache en moi, se tord et plane comme votre souvenir.

Pâleur, maigreur de vos mains, vos squelettes desséchés me serrent la gorge.

Qui prier ?

Comment vous implorer, implorer Dieu par vous pour un morceau de bonheur, de joie ?

Je regarde souvent le vide du ciel bleu, je le regarde sans larmes, avec pitié et tristesse.

Vous savez, mes parents, je suis déjà un autre homme — triste, désillusionné de beaucoup de choses !

Mais assez ! Au revoir !

Jour après jour, hiver comme été,

à six heures du matin mon père se levait et s'en allait à la synagogue.

Il y faisait sa prière habituelle à un mort quelconque.

A son retour, il préparait le samovar, buvait du thé et partait à son travail.

Travail infernal, travail de galérien.

A quoi bon le dissimuler ? Comment le raconter ?

Nulle parole ne soulagera le destin de mon père. (Je vous en prie, pas de compassion, encore moins de pitié !)

Beurre et fromage étaient toujours en abondance sur la table.

Le pain au beurre, comme un symbole éternel, ne quittait jamais mes mains enfantines.

Partout où je me dirigeais — dans la cour, dans la rue et même aux cabinets — j'emportais, moi, comme tous les nôtres, un pain au beurre.

Avions-nous faim ? Du tout.

C'était comme un genre de démangeaison. Envie perpétuelle de manger, rêver, bâiller, mâcher.

Particulièrement, nous aimions faire le... le soir à la clôture.

Excusez ma grossièreté ! Suis-je grossier ?

C'est naturel, qu'à la lune, quand on a peur d'aller trop loin — nous, enfants, n'étions même pas capables de nous bouger, nos jambes ne se remuaient point.

Le lendemain matin, le père maudissait les enfants pour leur infamie.

J'aimais dormir. Pas la nuit, le matin j'aimais dormir, lorsqu'un rayon du soleil de dessous le toit me regarde par la fenêtre.

Les mouches bourdonnent déjà et vers le nez se précipitent.

Oh ! jusqu'à quand ?

Le père entre, une lanière à la main, et il me parle :

« Il paraît que tu dois aller en classe ? »

Je contemple les tentures bleues, le plafond

aux araignées, la fenêtre avec les maisons et je pense :

« En effet, il me semble, tout le monde est déjà debout. Assez de se gratter. »

J'entends ouvrir la porte de la salle à manger. Une femme entre.

« Donnez-moi, s'il vous plaît, un bon hareng à trois sous. Vous devez avoir de bons harengs. »

Je me réveille. Je ne sais pas l'heure qu'il est. Il est matin. Le thé est sur la table. Je suis incapable de traduire sa couleur, son odeur. Le liquide sucré, suivi d'un croissant, s'écoule en moi.

Les vendredis, débarbouillage général de mon père. La mère sortait saintement du poêle la cruche d'eau chaude et le père lavait par-ci, par-là, sa tête, sa poitrine, ses mains noires, en gémissant qu'il n'y avait pas d'ordre, qu'il ne restait plus de cristaux.

« Toute une famille de huit enfants — sur les bras ! Point d'aide. »

J'avalais mes larmes et pensais à mon pauvre art, à mon avenir. La vapeur de l'eau chaude, mêlée à l'odeur du savon et des cristaux, m'accablait.

Les bougies, allumées en l'honneur du sabbat, m'égorgeaient, comme l'autre vache dans l'étable de mon grand-père.

Sainteté du sang. Il faisait chaud et offensant.

Le dîner de sabbat, — mains propres du père, sa figure et sa chemise blanche — me calmait. Tout était bon.

On servait le repas. Oh ! mon appétit !

Poisson farci, viande aux carottes, nouilles, gelée de pieds de veau, bouillon, compote, pain blanc. La température montait.

Le père s'endormait.

Je l'ai toujours regardé avec jalousie, lorsqu'on lui servait des plats de viande en sauce, particulièrement rôtis.

Avidement je regardais la casserole, l'endroit d'où on la sortait et où on la plaçait pendant que la mère garnissait l'assiette.

Ne reste-t-il pas un petit bout, au moins un osselet, dont je pourrai, moi aussi, me régaler ?

Papa, fatigué, triste, mangeait, on aurait dit avec peine. Ses moustaches s'agitaient sans joie.

Je regardais de son côté, comme un chien. Je n'étais pas seul à regarder.

Derrière moi et de côté se tenaient, debout ou assises, mes sœurs cadettes ; un peu plus loin, mon frère. Tous, nous avions envie de manger du rôti, dans un pot pareil. Exquis !

Je pensais : Peut-être un temps viendra où je serai moi-même père, maître de la maison et pourrai manger à mon aise pareil rôti.

Tous ces plats de sabbat m'entraînaient au loin, en me rappelant un certain sens de la vie.

Le dernier morceau de viande vole de l'assiette du père dans celle de la mère et retour.

« Mange toi-même. — Mange, toi ! »

Papa ronflait déjà, sans avoir eu le temps de

faire sa prière (qu'y faire ?) et la mère entonnait, devant le poêle, suivie de nous tous, la chanson du rabbin.

Je me souvenais du grand-père chantre.

Je me souvenais de mon moulin à huile et je sanglotais à part moi, plus loin que le poêle, derrière le rideau, au bas de la robe de ma mère.

Elle finissait la chanson en larmes, en pleurs, à haute voix, traînant les mots.

Quel cœur (pas le mien) ne se serait pas déchaîné ce soir-là, à la pensée qu'il n'y a personne dans la rue, seules les lanternes louchent et les canailles p...

Les bougies achèvent de brûler dans la chambre, s'éteignent dans le ciel.

Elles sentent fort. J'ai mal à la tête.

J'ai peur de sortir dans la cour.

Un jour, tard dans la soirée, j'y ai surpris une voleuse. Elle demandait : « Où trouverai-je par ici une auberge ? Je viens du cimetière. »

Tout le monde va se coucher. Mais, du côté de la place du marché, parvient, lointaine, la musique du jardin public. On s'y promène.

Les arbres s'y caressent, s'inclinent dans l'obscurité, les feuilles murmurent.

Le soir de sabbat tous les enfants étaient réunis autour de la table. Mais, en semaine, papa seul y était assis, buvant son thé jusqu'à dix heures du soir.

La sœur aînée, Aniouta, rentrant de la promenade, allait chercher un hareng dans notre boutique, située à l'entrée de la maison, et le traînait par la queue. Les cadettes, arrivant plus tard, traînaient, chacune à son tour, un autre hareng.

Harengs, cornichons, fromage, beurre et pain noir, grand et rond, sont sur la table. La lampe éclairait à peine tout cela. Voilà notre dîner.

Enchantement !

Dans les jours de semaine, je me nourrissais, entre autres choses, de kacha noir. Il n'y avait pas pour moi de nourriture plus infernale que celle-ci.

La pensée que dans ma bouche se trouvaient les grains me faisait enrager comme si ma bouche avait été remplie de pistons.

C'est dans le temps soviétique que je suis devenu connaisseur et même amateur de millet et de gruau d'orge — surtout quand un sac de cette denrée pesait sur mon dos.

D'habitude, vers le dîner, je m'endormais tout vêtu et la mère s'approchait alors, réveillant son fils aîné :

« Je ne sais pas ce qu'il a : aussitôt dîner, il s'endort. Mon fils, va manger !

— Quoi ?

— Du gruau.

— Lequel ?

— Du blé noir avec du lait.

— Je veux dormir, maman.
— Va d'abord manger.
— Je ne l'aime pas.
— Va, essaye d'abord ; si cela t'étrangle, si tu t'évanouis, tu n'en mangeras plus. »

Je l'avoue, il m'arrivait de m'évanouir exprès.

Parfois ils me sauvèrent. Pourtant, c'était dans d'autres temps, d'autres lieux et pour d'autres causes.

L'hiver. Mes jambes restent debout, mais la tête s'en va. Je me tiens devant le poêle en fonte noire et me réchauffe.

Devant, sur une chaise, la mère est assise — ample, ventrue — royalement.

Papa a mis le samovar et a commencé à rouler les cigarettes.

Voilà le sucrier ! Comme je suis content !

Maman parle, parle, frappe d'un doigt sur la table, hoche sa coiffure.

Son thé refroidit. Papa l'écoute, regarde sa cigarette. Toute une montagne de cigarettes roulées s'élève déjà.

Nuit. Couché dans mon lit, je vois au mur une silhouette — un essuie-mains, peut-être. Il me semble que c'est un revenant, un homme, un oncle vêtu de « taless ».

Tout d'un coup, il sourit. Il devient menaçant.

Ou bien c'est une tante quelconque ou c'est un bouc.

Il fallait se lever, s'avancer jusqu'à la chambre à coucher de mes parents, rien qu'à leur porte, car y entrer m'effrayait, surtout à la vue du père allongé, la barbe en l'air, la bouche ouverte, ronflant.

Devant la porte je chuchote :

« Maman, j'ai peur. »

Une voix comme en rêve :

« Qu'est-ce que tu veux ?

— J'ai peur.

— Va te coucher. »

Aussitôt, je suis calmé.

La petite veilleuse à pétrole doucement s'empare de mon âme et j'avance lentement vers mon lit où, à mes pieds, est couché mon frère David.

Pauvre David ! Maintenant qu'il repose en Crimée, dans sa terre, encore si jeune, lui qui m'aimait tellement — son nom est plus doux pour moi qu'une suite d'horizons et me souffle l'odeur du pays natal.

Mon frère. Je ne pouvais rien faire. Tuberculeux. Les cyprès. Éloigné de tous. Déclin.

Mais avant, nous couchions ensemble dans un même lit.

La nuit, il me semblait voir les murs se rapprocher l'un de l'autre.

La lumière terne de la lampe ombrait le plafond. Je me pressais vers l'oreiller.

Tout à coup, j'entends une souris derrière ma

tête. Irrité, je la saisis avec fracas et la rejette loin vers les pieds de mon frère. Effrayé à son tour, il me la rejette. Enfin, tous les deux, nous allons la noyer dans le vase de nuit.

Déjà le matin frais, le saint matin perce à travers les vitres et nous nous endormons.

Quand j'avais trop peur, ma mère m'appelait vers elle.

C'était le meilleur abri.

Aucun essuie-main ne se transformera en bouc et en vieillard et à travers la vitre gelée aucune figure sépulcrale ne se glissera.

La glace du salon, haute et sombre ne m'effrayera plus.

Dans ses coins et dans les replis de son cadre, les âmes de parents morts depuis longtemps, les sourires de jeunes filles demeurent contenus.

Ne m'effraieront ni la lampe suspendue, ni le divan, aussi longtemps que je serai dans le lit de maman.

Mais j'ai peur. Elle est grosse, seins rebondis, comme des oreillers.

Mollesse du corps, de l'âge, des accouchements, souffrance de sa vie maternelle, douceur de ses rêves faubouriens, jambes grasses et élastiques — j'ai peur de toucher tout cela par hasard.

Les commencements de nos maladies d'enfants étaient ordinairement précédés de rêves de ma mère.

Nuit. Froid d'hiver. La maison dort.

Soudain, du côté de la rue, la silhouette de feu la grand-mère Chana referme avec bruit le petit vasistas, en disant : « Ma fille, pourquoi, par ce froid-là, laisses-tu la fenêtre ouverte ? »

Ou, un autre jour, un vieillard, tout en blanc, de l'autre monde, arrive à la maison, un oncle à la barbe longue. Entré, il reste debout, demande l'aumône. Je lui tends un morceau de pain. Sans parler, il frappe dessus. Le pain tombe.

« Chazia, disait ma mère, en s'éveillant, je t'en prie, va voir les enfants. »

C'est ainsi que nous tombions malades.

Les bâtons et les toits, les poutres, les clôtures et tout ce qu'il y avait derrière, me ravissaient.

Et ce qui s'y trouvait, vous pouvez le voir sur mon tableau : *Au-dessus de la ville.* Ou bien, je puis vous le raconter.

Une file de cabinets, de maisonnettes, de fenêtres, de portes cochères, de poules, une usine fermée, une église, une petite colline (vieux cimetière, où on n'enterre plus).

Je pouvais observer plus en détail de la

petite fenêtre de notre grenier, en me plaçant tout en bas.

Je mettais ma tête dehors et j'aspirais l'air frais et bleu. Des oiseaux passent devant moi en volant.

J'entends une bonne femme éclabousser autour d'elle.

Je vois ses bas et ses jambes. Elle salit mes chers débris de poteries tant aimés, mes pierres. Elle se hâte au mariage. Elle n'a pas d'enfants.

Elle y pleurera sur le sort de la fiancée.

J'aime les musiciens de noces, les sons de leurs polkas et de leurs valses.

Je me hâte moi aussi et j'y pleure à côté de maman. J'aime un peu pleurer, lorsque le « bad-chan », de sa haute voix, chante et crie :

« Fiancée, fiancée, pense un peu à ce qui t'attend ! »

Ce qui t'attend ?

A ces mots, ma tête se détache doucement du corps et pleure quelque part près des cuisines où se préparent les poissons.

Fini de pleurer. Assez.

On se mouche et des confetti s'élèvent en tourbillons, de petits bouts de papier de différentes couleurs.

Félicitations ! Bonne chance !

Grands-pères et grand-mères, jeunes filles et jeunes gens, mendiants et musiciens, tous nous trépignons, claquons et entrecroisons nos mains.

Nous nous embrassons, nous chantons, nous dansons, nous faisons des rondes.

« Félicitations ! »

Et moi, qui embrasserai-je ?

Il me faut trouver quelqu'un. Je ne peux tout de même pas embrasser une vieille femme, un homme barbu.

Je cherche une beauté quelconque.

A côté de notre maison il y en avait d'autres où les habitants s'agitaient.

Derrière nous vivait un charretier.

Il travaillait en même temps que son cheval. Son brave cheval traînait tant bien que mal des fardeaux. Mais surtout, c'est le charretier qui le traînait.

Il était haut et maigre, plus haut que son cheval, plus long que sa charrette.

Assis là-dessus et tenant dans ses mains les rênes et le fouet, il paraissait diriger un bateau à voiles. Mais point de vent.

Au contraire. Il faisait doux, dehors.

Il ne gagnait pas sa vie. Sa femme vendait à domicile (interdit) de l'eau-de-vie, mais toute la boisson, c'est l'homme qui la buvait en cachette, tout seul.

Alors, il n'y avait plus de silence dans la rue. Il ne savait pas chanter.

Ivre, il ne faisait que hennir en présence de son cheval. Sûrement, celui-ci riait.

Mais lui, oubliant son cheval, se balançait, près de la charrette.

En face de nous se trouvait une autre maisonnette, à peine visible.

Là, habitait une blanchisseuse, Tanjka, une voleuse ; dans l'autre moitié de la maison, un fumiste, avec sa femme et de nombreux enfants.

On n'entendait que leurs querelles.

Les voix sortaient des tuyaux du poêle, près duquel était placé un seau d'eau en cas d'incendie.

Parfois, la femme, après avoir insulté son mari à son aise, sortait prendre l'air sur le banc.

Quand je sortais, moi aussi, au même moment, elle hochait la tête, ce qui signifiait :

« Eh ! bien, comment le trouves-tu, ce galeux ? Et il s'imagine encore qu'il a raison ! »

A gauche, une autre maison de bois, habitée par un homme et demi.

Ils tenaient un commerce de chevaux. Ils volaient aussi des pigeons qu'ils chipaient en plein vol, en les chassant de leurs pigeonniers.

Souvent, ils s'attrapaient dans la rue.

Un jour, il me sembla que l'un d'eux voulut même, petit gosse que j'étais, m'entraîner avec lui.

A côté du fumiste, se serraient les boulangers, la famille la plus distinguée de notre rue.

Dès cinq heures du matin, la lampe brûlait à leur fenêtre et déjà leur poêle chauffait. Il faisait chaud dans la cuisine.

Les paniers se remplissaient vite de croissants honnêtes, fraîchement cuits. Et, le matin, joyeux, je courais les chercher, emportant fièrement dans mes mains une paire de croissants tout chauds.

Avec quel effroi je regardais mes petites voisines ! La fureur enfantine en venait à ce point que la petite fille, hypnotisée, me suivait dans la cour où, après nous être un peu tourmentés, nous nous délivrions.

Je ne sais plus l'âge que j'avais lorsque, jouant avec la petite Olga, je n'acceptais de lui rendre sa balle qu'à la condition qu'elle me montrerait sa jambe.

« Montre-moi ta jambe jusque là et je te rendrai ta balle ! »

Des incartades pareilles m'étonnent bien aujourd'hui. Et je suis vexé de leur insuccès.

Pourtant, il y avait des jours où je ne jouais pas seulement aux bâtons, aux dés, aux plumes, et où je ne grimpais pas non plus sur les chantiers voisins avec mon camarade qui frappait sur les poutres de son... en me faisant peur.

Il y avait des jours que je passais exclusivement sur les radeaux.

Je me baignais, me rhabillais et plongeais de nouveau.

Seulement, j'avais quelque gêne à entrer dans l'eau.

Mon camarade d'école se moquait cruellement de moi.

« Regardez donc, quel petit qu'il a ! »

Rien ne m'accablait autant que de telles railleries de ce scélérat roux.

Toujours la même chose.

A-t-il mieux que moi, s'il est un grand idiot, un polisson gâté, un débauché ?

Je suis seul dans la rivière. Je me baigne. A peine si je trouble l'eau.

Autour, la ville paisible. Le ciel laiteux, bleu-noir, est un peu plus bleu à gauche et du plus haut resplendit un bonheur céleste.

Soudain, du bord opposé, au-dessous du toit de la synagogue s'élance une fumée.

Comme si on entendait les cris des rouleaux brûlants de la Thora et de l'autel.

Les vitres se brisent.

Vite, hors de l'eau !

Tout nu, à travers les poutres je cours chercher mes vêtements.

J'aime tant les incendies !

Le feu rejaillit de tous côtés. Déjà la moitié du ciel est enfumée. Il se reflète dans l'eau.

Les boutiques se ferment.

Tout s'agite — les gens, les chevaux, les meubles.

Des cris, des appels, des culbutes.

Plus chère, plus émouvante est devenue pour moi ma maison natale.

Je cours vers elle, pour la voir et lui dire adieu.

Sur son toit tombent déjà les charbons, les ombres, les reflets du feu.

Elle est comme évanouie.

Mon père, moi, les voisins, nous l'arrosons, nous la mouillons ; ils la sauvent.

Vers le soir, je monte sur le toit pour mieux contempler la ville brûlée.

Tout fume, se fend, s'écroule.

Triste et fatigué, je rentre à la maison.

Outre mon ingéniosité

aux jeux de plumes et de bâtons, outre les baignades et les stationnements sur les toits pendant les incendies, je possédais d'autres talents.

N'avez-vous pas entendu, à Witebsk, ma voix enfantine ?

Dans notre cour, habitait un vieillard de petite taille, assez robuste.

Sa barbe longue, noire, à peine argentée, s'agitait tout le temps en se plantant dans l'air et dans la terre.

C'était un précepteur et un chantre.

Pas trop imposant ni comme précepteur, ni comme chantre.

Je prenais chez lui des leçons de rudiment et de chant.

Pourquoi chantais-je ?

D'où savais-je que la voix ne sert pas seulement à crier et à se disputer avec ses sœurs ?

J'avais de la voix et je l'élevais tant que je voulais.

Dans la rue, tous les passants se retournaient sans se rendre compte que c'était un chant. Ils se disaient :

« Il est fou, quoi, qu'est-ce qu'il a à crier ? »

Je m'étais engagé comme aide chez le chantre et, aux jours de grandes fêtes, toute la synagogue et moi-même entendions distinctement flotter mon soprano sonore.

Je voyais sur les figures des fidèles des sourires, l'attention, et je rêvais :

« Je serai chanteur, chantre. J'entrerai au Conservatoire. »

Dans notre cour habitait aussi un violoniste. Je ne savais pas d'où il venait.

Dans la journée, commis chez un ferronnier ; le soir, il enseignait le violon.

Je raclais quelque chose.

Et n'importe quoi, ni comment je jouais, il disait toujours, en battant la mesure de sa botte : « Admirable ! »

Et je pensais : « Je serai violoniste, j'entrerai au Conservatoire ».

A Lyozno, dans chaque maison, les parents, les voisines m'invitaient à danser avec ma sœur. J'étais gracieux, avec mes cheveux bouclés.

Je pensais : « Je serai danseur, j'entrerai... » je ne savais plus où.

Jour et nuit je composais des vers.

On en disait du bien.

Je pensais : « Je serai poète, j'entrerai... »

Je ne savais plus où me laisser aller.

Avez-vous vu notre fleuve, la Dwina, aux jours de fêtes d'automne ?

Les cabines de bain sont démontées. On ne se baigne plus. Il fait froid.

Sur les bords, les Juifs secouent dans l'eau leurs péchés. Dans l'ombre, un canot flotte. On entend le bruit des rames.

Profondément dans l'eau, la tête à l'envers, se balance à peine le reflet de mon père.

Lui aussi secoue de ses vêtements les poussiérettes de péchés.

A ces fêtes, on m'éveillait à une ou deux heures du matin et je courais chanter à la synagogue. Pourquoi court-on ainsi dans la nuit sombre ? Je serais bien mieux dans mon lit.

Dans l'obscurité, tout un monde se précipitait à la synagogue, chassant le sommeil.

Ils ne rentreront se coucher qu'après avoir achevé la prière.

Le thé matinal avec les gâteaux de la couleur et de la forme d'une relique orientale, les plats du festin, bien rangés et à travers lesquels volaient de courtes prières, avant qu'on puisse les goûter.

Les plats du jour du Pardon, la veille au soir.

Un soir de poulets, de bouillon.

De longues bougies brillent de loin.

Bientôt on va les emporter à la synagogue.

Elles sont déjà en route ces bougies blanches, bien taillées, priant et implorant.

Ce sont elles qui brillent pour les morts, pour ma mère, mon père, mes frères, mon grand-père, pour tous ceux qui reposent sous la terre.

Des centaines de bougies brûlent dans les caisses remplies de terre, comme des jacinthes flamboyantes.

Elles grandissent et flamboient.

Des visages, des barbes, des taches blanches se tiennent serrés, debout, assis ou courbés.

Mon père, avant d'aller au temple, voûté et essoufflé, cherche pour ma mère les livres de prières et, s'adressant à elle, lui montre les pages cornées.

« Alors, d'ici, jusque-là ».

Assis devant la table, il souligne les pages choisies avec un crayon, avec ses ongles.

Dans un angle, il inscrit : « Commence d'ici. »

Près d'un passsage touchant, il marque : « Pleure. » Ailleurs : « Écoute le chantre. »

Et maman allait au temple, assurée qu'elle ne verserait pas de larmes en vain mais là seulement où il faudrait.

A la rigueur — si le fil de la prière lui échappait — elle regardait en bas, du haut du balcon où se tenaient les femmes.

Quand le signe « pleure » s'approchait, elle commençait, ainsi que toutes les autres, à verser des larmes divines. Leurs joues rougissaient et de petits diamants mouillés coulaient goutte à goutte, en glissant sur les pages.

Papa est tout en blanc.

Une fois par an, le jour du grand Pardon, il me semblait le prophète Ilya.

Sa figure est un peu plus jaune que d'habitude : rose-brique après les larmes.

Il pleurait sans façon, silencieusement et là où il convenait.

Aucun geste excessif.

Parfois, il poussait un cri : « Ah ! ah ! » en se tournant vers ses voisins, pour leur demander de garder le silence pendant la prière, ou leur demander une prise du tabac.

Moi, je me sauvais de la synagogue et courais vers la haie du jardin. A peine l'avais-je gravie, je cueillais une grosse pomme verte.

Je la mordais, ce jour de jeûne.

Seul, le ciel bleu me regardait, pécheur que

j'étais, et mes dents, tremblantes, absorbaient le jus et le cœur de la pomme.

Je n'étais pas capable de jeûner jusqu'à la fin, et le soir, à la question de maman :

« As-tu jeûné ? » je répondais, comme un condamné : « Oui. »

Je n'ai pas de mots pour traduire les heures de la prière du soir.

A cette heure-là, le temple me semblait entièrement peuplé de saints.

Lentement, gravement, les Juifs déplient leurs voiles sacrés, pleins des larmes de toute la journée de prières.

Leurs vêtements se déploient comme des éventails.

La rumeur de leurs voix pénètre dans l'arche, dont les portillons tantôt se découvrent, tantôt se cachent.

J'étouffe. Je ne bouge pas.

Jour infini ! Prends-moi, fais-moi plus proche de toi. Dis un mot, explique !

Voilà, toute la journée j'entends « Amen ! amen ! » et je les vois tous agenouillés.

« Si Tu existes, rends-moi bleu, fougueux, lunaire, cache-moi dans l'autel avec la Thora, fais quelque chose, Dieu, au nom de nous, de moi. »

Notre esprit s'évapore et du dessous des vitres colorées des bras s'élèvent.

Les branches desséchées des hauts peupliers se balancent paisiblement au-dehors.

En plein jour, de petits nuages tournent, se dissipent, se fondent.

Bientôt la lune, demi-lune, va paraître.

Les bougies sont au bout de leurs flammes et les petits feux brillent aujourd'hui dans l'air innocent.

Tantôt la bougie monte vers la lune, tantôt la lune vers nos bras descend en volant.

La route elle-même prie. Les maisons pleurent.

Le ciel passe de tous les côtés.

Les étoiles s'allument et l'air frais entre dans la bouche ouverte.

Ainsi nous rentrons à la maison.

Quel soir est plus clair, quelle nuit plus transparente que celle d'aujourd'hui ?

Papa se couche fatigué, affamé.

Ses péchés sont déjà pardonnés et ceux de maman aussi.

Seul, moi, peut-être, je reste encore un peu pécheur.

Et les Pâques ! Ni le pain pascal, ni le raifort, rien ne m'émeut autant que l'Agade, ses lignes, ses images et le vin rouge dans les verres pleins. J'aurais voulu vider tous les verres.

Impossible.

Parfois, le vin dans le verre de papa me semblait encore plus rouge.

Il reflétait un lilas foncé, royal, le « ghetto » tracé pour le peuple juif et l'ardeur du désert de l'Arabie, traversé avec tant de peines.

Et la lumière nocturne, descendant de la lampe suspendue, comme elle me pèse !

Il me semblait que je voyais des tentes sur les sables ; des Juifs, nus sous le soleil ardent, discutent violemment à propos de nous, de notre existence, — Moïse et Dieu.

Mon père, soulevant son verre, me dit d'aller ouvrir la porte.

A une heure si tardive ouvrir la porte, la porte du dehors, pour faire entrer le prophète Ilya ?

Une gerbe d'étoiles blanches, argentées sur le fond du velours bleu du ciel, pénètre dans mes yeux et dans mon cœur.

Mais où est Ilya, et son char blanc ?

Peut-être reste-t-il encore dans la cour, et sous l'aspect d'un vieillard chétif, d'un mendiant voûté, avec un sac sur le dos et une canne à la main, va-t-il entrer à la maison ?

« Me voici. Où est mon verre de vin ? »

L'été, quand les enfants des riches partaient en vacances, ma mère me disait avec pitié :

« Écoute, mon fils, si tu veux, pars à Lyozno chez le grand-père pour une quinzaine. »

Un faubourg, comme sur les images.

De nouveau, j'y suis.

Toutes les maisons sont là, ainsi que le petit fleuve, le pont, la chaussée.

Tout y est. Et l'église blanche, volumineuse, est aussi là, au centre de la grande place.

Autour, les habitants vendent du tournesol, de la farine, de la vaisselle.

Le moujik sur son chariot fait ingénieusement son entrée dans le faubourg, comme s'il passait par hasard. Il se lance soit vers une porte, soit vers une autre.

Un marchand oriental ou sa femme toujours enceinte, le traînent, en rigolant :

« Ivan, que le diable t'emporte ! Tu ne me reconnais donc pas ? T'as besoin de rien, aujourd'hui ? »

Les jours de marché, la petite église suffoquait, emplie par la foule.

Les moujiks sur leurs chariots, les éventaires, différentes marchandises la pressaient tant, qu'il semblait que le Dieu même en fût chassé.

Autour, on s'agitait, criait, puait. Les chats miaulaient. Les coqs à vendre caquetaient, ficelés dans leurs paniers. Les cochons grognaient. Les rosses hennissaient.

Les couleurs éclatantes se révoltaient dans le ciel.

Mais tout se calmait vers le soir.

Les icônes s'animaient, les veilleuses luisaient de nouveau. Les vaches s'endormaient dans leurs étables, ronflant sur le fumier, ainsi que les poules sur les solives clignant malicieusement des yeux.

Les marchands, en faisant leurs comptes, sont

déjà à la table, au-dessous de la lampe. Les filles aux seins rebondis, laiteux, languissent dans les coins.

Essayez de les presser. Un liquide blanc, sucré, éclaboussera vos joues.

La lune claire, enchantée, tourne derrière les toits, et seul, moi, rêveur, reste sur la place.

Extasié, les pieds enfoncés dans la terre, un cochon transparent se tient aussi devant moi.

Je suis dans la rue. Les bornes s'inclinent.

Le ciel est bleu grisâtre. Les arbres, écartés, se penchent.

J'ai tellement envie de monter un cheval !

Mais celui de mon grand-père n'est pas un cheval. C'est une rosse, au cou tendu.

Je supplie l'oncle Neuch :

« Petit oncle, je veux... j'ai envie...

— De quoi ?

— De monter la rosse.

— Mais tu ne sais pas, tu ne pourras pas.

— Si, je sais. »

La rosse est devant moi, la tête baissée.

Elle est triste. Elle marmotte.

Elle sourit, peut-être à l'herbe.

Enfin, je la monte, je grimpe sur son ventre, sans selle, sans rien et, vous savez, son ventre est gros.

Mes pieds sont écartés, j'ai les bras en l'air.

Mais la rosse est déjà partie. Je suis emporté, basculé par terre. J'attends les coups de sabots.

Mais elle s'enfuit joyeusement de toutes ses forces vers les champs.

Nous la cherchons toute la soirée.

L'oncle me gronde. Où est-elle, la rosse ?

Loin dans la forêt, nous la découvrons trébuchante et tintant de sa sonnette.

Paisiblement, elle mâche l'herbe.

Cependant les années s'avançaient.

Il fallait commencer à imiter les autres, leur ressembler.

Et un beau jour, j'aperçus devant moi un précepteur, un petit rabi de Mohileff.

Comme s'il avait sauté de mon tableau, ou s'était échappé d'un cirque.

On ne l'appelait même pas. Il venait tout seul, ainsi que vient le courtier des mariages ou le vieillard qui emporte les cadavres.

« Une saison, deux... », dit-il à ma mère.

Comme il est agile !

Je le regarde droit à la barbe.

Je sais déjà que « a » avec un trait au-dessous fait « o ». Mais sur le « a » je m'endors, sur le trait je voudrais... Justement, à ce moment-là le rabi s'endort lui-même.

Comme il est drôle !

Avec la promptitude de la foudre, j'entrais dans son cours et tous les soirs, une lanterne à la main, je revenais à la maison.

Les vendredis il me conduisait au bain, me faisant allonger sur un banc.

Les verges de bouleau à la main, il examinait attentivement mon corps, comme si j'étais la Bible.

De tels rabis, j'en ai eu trois.

Le premier, une petite punaise de Mohileff.

Le second, rabi Ohré (un rien, aucun souvenir).

Le troisième, une personne imposante, morte prématurément, rabi Djatkine.

C'est lui qui m'enseigna ce discours fameux, au sujet de « tphylym », que, mes treize ans atteints, j'ai prononcé debout sur une chaise.

Je l'avoue, j'estimai qu'il était de mon devoir de l'oublier à peine une heure passée, ou même avant.

Il me semble que mon premier petit rabi de Mohileff a eu sur moi la plus grande influence.

Pensez donc, tous les samedis, au lieu d'aller me baigner dans le fleuve, ma mère m'envoyait chez lui étudier la Bible.

Pourtant, je savais qu'à cette heure-là (aussitôt après le déjeuner), le rabi et sa femme dormaient profondément en l'honneur du sabbat, complètement déshabillés. Attends donc qu'il enfile ses pantalons !

Une fois, frappant ainsi à la porte fermée, j'ai éveillé l'attention du chien seigneurial, un roux, vieux et méchant, aux crocs aigus.

Doucement, il descendait l'escalier et, dressant ses oreilles, s'avançait vers moi et...

Je ne me rappelle plus ce qui se passait ensuite. Je me souviens d'avoir été relevé à la grande porte d'entrée.

Le bras en sang, la jambe aussi.

Le chien m'a mordu.

« Ne me déshabillez pas, seulement mettez-moi de la glace par ici...

— Il faudrait le porter chez sa mère et le plus vite possible. »

Le jour même, ce chien était poursuivi par les sergents de ville et la douzième balle seulement l'atteignit.

Le même soir je partais à Pétersbourg pour me faire soigner, accompagné de mon oncle.

Les médecins déclarèrent que je devais mourir la quatrième jour.

Charmant ! Tout le monde me soigne. Chaque jour me rapproche de la mort. Je suis un héros.

Le chien était enragé.

Aller à Pétersbourg me soigner me tentait beaucoup.

Il me semblait que je rencontrerais le tsar dans la rue.

Passant la Néva, j'avais l'impression que son pont était suspendu au ciel.

J'oubliais la morsure du chien. Il me plaisait de coucher seul dans un lit blanc, d'avoir pour le déjeuner du bouillon jaune, avec un œuf.

Il me plaisait de me promener au jardin de l'hôpital ; parmi les enfants bien habillés qui jouaient, je croyais voir le prince héritier. Je me tenais à l'écart, je ne m'amusais point, je n'avais pas de jouets. J'en vis tant, et de si beaux, pour la première fois !

On ne m'en avait jamais acheté à la maison.

L'oncle qui m'avait accompagné me conseillait de prendre doucement un des jouets abandonnés.

Jouet adorable, dont je m'inquiétais bien plus que de mon bras rageusement mordu.

Mais ne viendra-t-il pas me le reprendre, le petit prince héritier ?

Les infirmières me souriaient. Leurs sourires m'encourageaient. Mais il me semblait toujours entendre pleurer l'enfant, possesseur du jouet dérobé.

Enfin je guéris et repartis de nouveau à la maison.

Je la trouvai pleine de femmes parées et d'hommes graves, dont les taches noires voilaient la lumière du jour.

Tapage, chuchotement ; soudain, le cri perçant d'un nouvea-né.

Maman, demi-nue, est alitée, pâle, à peine rose. Mon frère cadet venait de naître.

Les tables couvertes de blanc.

Frôlement des habits sacrés.

Un vieillard, murmurant la prière, coupe avec un couteau aigu le petit bout de chair sous le ventre du nouveau-né.

Il suce le sang avec ses lèvres et étouffe de sa barbe les cris et les gémissements du bébé.

Je suis triste. Silencieusement, à côté des autres, je mâche les gâteaux, les harengs, le pain d'épices.

A chaque année écoulée je me sentais avancer vers des seuils inconnus. Surtout du jour où mon père, couvert du thaless, marmotta au-dessus de mon corps de garçon de treize ans la prière expiatoire. Que faire ?

Demeurer un enfant innocent ?

Prier matin et soir et partout, où que j'aille, quoi que je mette à ma bouche et quoi que j'entende, prononcer aussitôt une prière ?

Ou fuir de la synagogue et, rejetant les livres, les vêtements saints, courir les rues vers le fleuve ?

J'avais peur de ma majorité future, peur d'avoir, à mon tour, tous les symptômes de l'homme adulte, même la barbe.

Dans ces journées tristes, solitaires, ces pensées me faisaient pleurer vers le soir, comme si on me battait, ou comme si on m'annonçait la mort de mes parents.

Je regardais par la porte entrouverte notre salon vaste et sombre. Il n'y avait personne. La glace suspendue en liberté, seule et froide, luisait bizarrement.

Je m'y regardais rarement. J'avais peur qu'on me surprît — en train de m'admirer.

Nez long aux narines, hélas ! larges, pommettes tranchantes, profil rude.

Parfois, je demeurais pensif dans cette contemplation.

Où est le sens de ma jeunesse ?

En vain je grandis. Beauté inutile et passagère qui se fige dans la glace.

Dès les treize ans atteints, mon enfance insouciante prendra fin et tous les péchés tomberont sur ma tête. Pécherai-je ?

J'éclate d'un rire sonore et de mes dents blanches j'éclabousse la glace.

Un jour, ma mère me traîne à l'école communale. En la voyant de l'extérieur j'avais pensé :

« Certainement, ici j'aurai bien mal au ventre et le professeur ne me laissera pas sortir. »

C'est vrai, la cocarde est séduisante.

On la mettra sur la casquette et si un officier passe, ne faudra-t-il pas le saluer ?

Fonctionnaires, soldats, sergents de ville, collégiens, ne sommes-nous pas égaux ?

Mais dans ce collège on n'accepte pas de Juifs.

ראַבקין
דער
מעלאַמד

Ma mère courageuse, sans hésiter, s'avance vers un professeur.

Notre sauveteur, le seul avec qui on pouvait s'entendre. Cinquante roubles, ce n'est pas beaucoup. J'entre directement en troisième, uniquement parce que c'est sa classe.

La casquette d'uniforme sur ma tête, je me suis mis à observer avec plus de hardiesse les fenêtres ouvertes du collège de filles.

Je portais un uniforme noir.

Mon corps se cabra. Et je devins sûrement encore plus bête.

Les professeurs sont en redingote bleue, avec boutons dorés.

Que de choses je pensais en les observant ! Comme ils sont savants !

D'où viennent-ils, que veulent-ils ?

Je contemplais les yeux, le dos et la barbe blonde de Nicolas Efimovitch.

Je ne pouvais pas oublier que c'était lui qui avait accepté le pot-de-vin.

L'autre, Nicolas Antonowitch, un savant irréprochable, mesurait de ses grands pas la classe et, bien qu'il lût les journaux réactionnaires, il m'était plus proche.

Je ne saisissais pas toujours bien le genre d'observations qu'il faisait à certains élèves.

Après avoir longuement considéré un écolier, il lui demandait en le regardant dans les yeux :

« Volodia, de nouveau ? »

Quoi de nouveau ?

Les jours passent sans que je parvienne à trouver le sens de ce « de nouveau ».

Pourquoi donc tous les autres rougissent-ils sauf moi ?

Au retour de la classe, je demandai à un camarade de m'expliquer ce que Nicolas Antonowitch pouvait bien reprocher à Volodia.

Souriant, il me répondit :

« Imbécile, tu ne sais donc pas que Volodia est on... ? »

Quand même, cela restait obscur. L'autre riait.

Mon Dieu ! Le monde entier se transforma pour moi et je devins triste.

Je ne sais pas pourquoi, j'ai commencé en ce temps-là à bégayer. (Une grève, quoi ?)

Sachant parfaitement mes leçons, je renonçai à les réciter. C'était drôle, mais assez tragique.

Au diable les zéros !

La mer de têtes de tous les bancs me troublait mortellement.

Une vibration douloureuse me saisissait et, m'avançant vers le tableau, je noircissais comme la suie et rougissais comme une écrevisse.

Fini. Parfois même je souriais.

C'était l'extase de mon étourdissement.

Naturellement, c'était en vain qu'on me soufflait, des premiers bancs.

Je savais pourtant bien ma leçon. Mais je bégayais.

Un chien roux, comme un conte ensanglanté, me semblait accourir et aboyer au-dessus de mon corps allongé. Ma bouche était pleine de poussière. Mes dents blanchissaient à peine.

A quoi bon ces leçons ?

Cent, deux cents, trois cents pages de mes bouquins, je les aurais arrachées sans pitié, je les aurais jetées au vent.

Qu'elles chuchotent en l'air entre elles tous les mots de la langue russe, de toutes les contrées et de toutes les mers !

Laissez-moi tranquille !

Je veux rester sauvage, me couvrir de verdures, crier, pleurer, prier.

« Allons, Chagall, dit le professeur, vas-tu réciter tes leçons, aujourd'hui ? »

Je commence : ta... ta... ta...

Il me semblait qu'on allait me jeter du haut du quatrième étage.

La vie en uniforme tremblait comme une feuille d'automne.

Mais tout aboutissait à revenir à ma place.

De loin, la main du professeur dessinait un « deux » bien distinct.

Je l'apercevais encore.

De la fenêtre de la classe je voyais les arbres, le collège de jeunes filles.

« Permettez-moi, Nicolas Antonowitch, de sortir, dis-je, j'ai besoin. »

Je n'avais qu'une pensée : « Quand donc

aurai-je achevé mes classes, en ai-je encore pour longtemps, et ne pourrait-on pas s'en aller sans les avoir terminées ? »

Les jours où on ne nous appelait pas au tableau, quand la rumeur générale de tous les élèves s'élevait, je ne savais réellement que faire.

Planté sur mon banc, piqué de tous les côtés de chiquenaudes, je ne savais plus où me sauver. Je cherchais dans mes poches des croûtes de pain. Je remuais, me balançais, me levais et m'asseyais.

Soudain, je mets la tête dehors pour envoyer par la fenêtre, à une douce inconnue, un baiser dans l'air.

L'inspecteur s'avance. Il saisit ma main, la soulève.

Attrapé ! Je suis rouge, rose, pâle.

« Rappelle-moi, canaille, de te mettre demain un « deux » de conduite. »

C'est en ce temps-là que je m'enivrais de dessin. Je ne savais pas ce que cela signifiait.

Au-dessus des têtes volaient les feuilles dessinées, atteignant souvent celle du professeur.

Mon voisin de banc, S..., se livrant à sa distraction favorite, frappait au-dessous du banc de...

Bruit sourd qui, parfois, réveillait l'attention du professeur.

On se taisait. On riait.

« Skorikoff ! » appelle le professeur. Il se lève, rougit et, ayant reçu son « deux », se rassoit.

Ce que j'aimais le mieux, c'était la géométrie.

Là-dessus, j'étais imbattable. Lignes, angles, triangles, carrés, m'emportaient vers les lointains séduisants. Et durant les heures du dessin, seul un trône me manquait.

J'étais le centre de la classe, l'objet de sa considération et son exemple.

Je ne revenais à moi qu'à la leçon suivante.

A la fin de l'année, après avoir joué aux bâtons et m'être spécialement exercé aux poids de vingt kilos, je dus redoubler ma classe.

La suite, je ne m'en souviens plus.

Pas d'importance ! A quoi bon se hâter ?

J'avais bien le temps de devenir commis ou comptable. Que le temps passe, qu'il se traîne !

De nouveau, je veillerai la nuit, les mains dans les poches, ayant l'air de m'instruire. De nouveau, j'entendrai maman me crier de sa chambre :

« ... Assez brûlé du pétrole ! Va te coucher. Ne t'avais-je pas dit qu'il fallait préparer tes devoirs dans la journée ? Tu es fou, toi ! Laisse-moi dormir.

— Mais je ne fais pas de bruit », répondrai-je.

Je regarde le bouquin, mais je pense aux hommes qui se promènent en ce moment dans les rues, à mon fleuve, aux radeaux flottants, trébuchant devant le cap du pont, s'y brisant parfois.

Les poutres craquent, s'élèvent en l'air, mais les rameurs se sauvent.

Pourquoi ne tombent-ils pas eux-mêmes ?

Ça serait intéressant de les voir périr ainsi.

Je pense aussi à ce gros monsieur aux joues

enflées, qui se promène sur le pont, contemplant les jeunes filles. Il avale au café d'un seul coup une demi-douzaine de gâteaux. Il est gros, et se croit très intelligent.

Dans la bibliothèque il choisit les journaux les plus sérieux. Il les lit, soufflant et se mouchant avec mille excuses.

Un jour, chez le tailleur, brandissant sa canne, tout fier de sa jeunesse rebondie, il demande au patron, à son aide ou même au gosse :

« Pardon, Monsieur, dites-moi, s'il vous plaît, tel que vous me voyez, combien me faudra-t-il de tissu pour une paire de pantalons intelligents ? »

Poteau, bec de gaz, lourdaud, idiot !

Étant en cinquième, voici ce qui m'est arrivé à la leçon de dessin. Un vétéran du premier banc, celui qui m'a pincé le plus souvent, me montra soudain un dessin sur papier de soie, une copie de « Niwa » : Fumeur.

En plein chaos ! Laissez-moi.

Je me souviens mal, mais ce dessin qui n'était pas fait par moi, mais par ce nigaud, m'enragea immédiatement.

Un chacal s'éveillait en moi.

Je courus à la bibliothèque, saisis cette grosse édition de « Niwa » et me mis à copier le portrait du compositeur Rubinstein, séduit par ses pattes d'oie et ses rides, ou par une Grecque et d'autres illustrations ; peut-être aussi j'en improvisai.

Tout ça, je l'accrochai dans notre chambre à coucher.

J'étais familier avec tout l'argot de la rue et les autres paroles courantes, plus modestes.

Mais un mot aussi fantastique, littéraire, un mot comme venu d'un autre monde, le mot artiste, oui, peut-être, je l'avais entendu, mais dans ma ville on ne l'a jamais prononcé.

C'était si loin de nous !

De moi-même, je n'aurais jamais osé prononcer ce mot.

Un jour je reçus la visite d'un camarade qui, après avoir observé notre chambre et aperçu aux murs mes dessins, s'exclama :

« Écoute, tu es donc un vrai artiste ?

— Qu'est-ce que c'est, artiste ? Qui est artiste ? Est-il possible que... moi aussi ?... »

Il est parti sans rien m'expliquer.

Je me suis rappelé aussitôt que quelque part dans notre ville j'avais vu, en effet, une grande enseigne, pareille à celle des boutiques : « École de peinture et de dessin du peintre Pènne. »

Je pensai : « Le sort en est jeté. Il ne me reste qu'à entrer dans cette école, et ainsi je deviendrai artiste. »

Et je briserai pour toujours l'illusion qu'a ma mère de faire de moi un commis, un comptable ou, pour le mieux, un photographe bien établi.

Un beau jour

(mais tous les jours sont beaux), comme ma mère mettait le pain au four, je m'approchai d'elle qui tenait la pelle, et, la prenant par son coude enfariné, je lui dis :

« Maman... je voudrais être peintre.

» C'est fini, je ne peux plus être commis, ni comptable. Assez. Ce n'est pas en vain que j'ai senti que quelque chose allait arriver.

» Tu le vois, maman, suis-je un homme comme les autres ?

» De quoi suis-je capable ?

» Je voudrais être peintre. Sauve-moi, maman. Viens avec moi. Allons, allons ! Il y a en ville un endroit ; si j'y suis admis et si je termine les cours, je sortirai artiste achevé. Je serais si heureux !

— Quoi ? Un peintre ? Tu es fou, toi. Laisse-moi mettre mon pain au four ; ne me gêne pas. J'ai mon pain là.

— Maman, je ne peux plus. Allons !

— Laisse-moi tranquille. »

Enfin, c'est décidé. On ira chez M. Pènne. Et s'il reconnaît que j'ai du talent, alors on y pensera. Mais sinon...

(Je serai quand même peintre, pensais-je à part moi, mais à mon propre compte.)

C'est clair, mon sort est dans les mains de M. Pènne, du moins aux yeux de ma mère, la souveraine de la maison. Mon père me donna les cinq roubles, prix mensuel des leçons, mais il les envoya rouler dans la cour où je dus courir à leur poursuite.

J'avais découvert Pènne au moment où, sur la plate-forme du tramway qui roulait en descendant vers la place du Dôme, j'avais été ébloui par une inscription blanche sur fond bleu : « École de peinture de Pènne. »

« Ah ! pensai-je, quelle ville intelligente est notre Witebsk ! »

Je décidai aussitôt de faire la connaissance du maître.

Au fond, cette enseigne n'était qu'un grand

écriteau bleu, en tôle, en tout semblable à ceux qu'on peut voir partout au fronton des boutiques.

En effet, dans notre ville, les petites cartes de visite, les petites plaques aux portes n'avaient aucun sens. Personne n'y prêtait attention.

« Boulangerie et confiserie Gourevitch. »

« Tabac, toutes sortes de tabac. »

« Fruiterie et épicerie. »

« Tailleur d'Arsowie. »

« Les modes de Paris. »

« École de peinture et de dessin du peintre Pènne... »

Tout cela c'est le commerce.

Mais ce dernier écriteau me sembla d'un autre monde.

Sa couleur bleue est comme celle du ciel.

Et il tremble au soleil et sous la pluie.

Après avoir enroulé mes dessins déguenillés, tremblant, ému, je pars pour l'atelier de Pènne, accompagné de ma mère.

Déjà, en gravissant son escalier, j'étais enivré, grisé de l'odeur des couleurs et des tableaux. Des portraits de tous côtés. La femme du gouverneur de la ville. Le gouverneur lui-même. M. L... et madame L..., baron K... avec la baronne et bien d'autres. Les connaissais-je ?

Atelier bourré de tableaux, du plancher jusqu'au plafond. Sur le parquet aussi sont entassés des piles de papier et des rouleaux. Le plafond seul reste libre.

Au plafond, la toile d'araignée et la liberté absolue.

Par-ci par-là, sont piquées des têtes grecques en plâtre, bras, jambes, ornements, objets blancs, couverts de poussière.

Je sens instinctivement que la voie de cet artiste n'est pas la mienne. Je ne sais pas laquelle. Je n'ai pas le temps d'y penser.

La vivacité des figures me surprend.

Est-ce possible ?

Tout en montant l'escalier, je touche les nez, les joues.

Le maître n'est pas à la maison.

Je ne dirai rien des expressions et des sentiments de ma mère, qui se trouvait dans un atelier d'artiste pour la première fois.

Elle jetait des coups d'œil dans tous les coins, elle lançait deux, trois regards vers les toiles.

Brusquement, elle se tourne vers moi et, presque suppliante, mais d'une voix nette et claire, me dit :

« Mon fils, alors... Tu vois bien ; tu ne pourras jamais faire comme ça. Rentrons à la maison.

— Attendons, maman ! »

A part moi, j'ai déjà décidé que je ne ferai jamais comme cela. Le faut-il ?

C'est autre chose. Mais quoi ? je ne le sais pas.

Nous attendons le maître. Il doit décider mon sort.

Mon Dieu ! Et s'il est de mauvaise humeur, il tranchera : « Ça ne vaut rien. »

(Tout est possible — prépare-toi, avec maman, ou sans elle !)

Personne dans l'atelier. Mais dans l'autre pièce quelqu'un bouge. Un élève de Pènne, sans doute.

Nous entrons. Il nous remarque à peine.

« Bonjour.

— Bonjour, si vous voulez. »

A cheval sur une chaise, il peint une étude. Cela me plaît.

Maman lui pose aussitôt une question :

« Dites-moi, je vous prie, monsieur S..., qu'est-ce que c'est cette affaire-là, la peinture, pas mal ?

— Eh ! quoi... Ni boutique, ni marchandise... »

Naturellement, on ne pouvait pas attendre une réponse moins cynique et moins vulgaire.

Elle était suffisante pour persuader ma mère de sa justice et pour verser en moi, gosse bégayant, quelques gouttes d'amertume.

Mais voilà le cher maître.

Je manquerais de talent si je ne pouvais vous le décrire.

Qu'il soit petit, cela ne fait rien. Sa silhouette n'en est que plus intime.

Les bouts de son veston pendent en angles vers ses jambes.

Ils flottent à droite, à gauche, en haut, en bas, et, en même temps, la chaîne de montre les suit.

Sa barbiche blonde, aiguë et mobile, traduit tantôt la mélancolie, tantôt un compliment, un bonjour.

Nous avançons. Il salue négligemment. (On ne salue avec attention que le gouverneur de ville et les richards.)

« Vous désirez ?

— Voilà, je ne sais pas, moi... il a envie de devenir peintre... Il est fou, quoi ! Regardez, s'il vous plaît, ses dessins... S'il a du talent, cela vaudra encore la peine de prendre des leçons, mais sinon... Rentrons, mon fils, à la maison. »

Pènne ne clignait point de l'œil !

(Méchant, pensai-je, cligne donc de l'œil !)

Il feuillette machinalement mes copies de « Niwa » et marmotte :

« Oui... il a des dispositions... »

Ah ! toi... pensai-je intérieurement à mon tour.

Certes, ma mère ne comprenait guère mieux.

Mais à moi, cela m'avait suffi.

Quoi qu'il en soit, je reçus de mon père des pièces de cinq roubles et je m'instruisis à peine deux mois, dans l'école de Pènne, à Witebsk.

Qu'est-ce que j'y faisais ? Je ne le sais pas.

Un plâtre était accroché devant moi. Il fallait le dessiner en même temps que les autres.

Je me mettais assidûment à cette tâche.

Je pressais le crayon vers les yeux, je mesurais, mesurais.

Jamais juste.

Le nez de Voltaire tire toujours en bas.

Pènne s'avance.

On vendait des couleurs au magasin d'à côté.

J'avais une caissette et les tubes s'y balançaient comme des cadavres enfantins.

Point d'argent. J'allais aux études à l'extrémité de la ville. Plus je m'éloignais, plus j'avais peur.

Dans ma crainte d'avoir franchi « la frontière » et de me trouver à proximité de camps militaires, mes couleurs bleuissaient, ma peinture aigrissait.

Où sont ces études sur de grosses toiles qui étaient accrochées au-dessus du lit de maman : porteurs d'eau, maisonnettes, lanternes, processions sur les collines ?

Il paraît que comme c'étaient des toiles rudes, on les a mises par terre en guise de tapis.

C'est du joli !

Il faut s'essuyer les pieds. On vient de laver les parquets.

Mes sœurs pensaient que les tableaux sont faits exprès pour ça, surtout quand ils sont peints sur de grosses toiles.

J'ai soupiré et failli m'étrangler.

En larmes, je ramassai mes toiles et les raccrochai de nouveau à la porte, mais, finalement, on les emportait au grenier où, peu à peu recouvertes de terre, elles s'enfonçaient paisiblement pour toujours.

Chez Pènne, seul, je peignais avec la couleur violette. Qu'est-ce que c'est ?

D'où cela vient-il ?

Cela parut une telle audace que depuis j'ai fréquenté son école gratuitement jusqu'à ce qu'elle ne fût plus pour moi, selon l'expression de S..., ni boutique, ni marchandise. Les environs de Witebsk. Pènne.

La terre où dorment mes parents — c'est tout ce qui me reste de cher aujourd'hui.

J'aime Pènne. Je vois sa silhouette tremblante.

Il vit dans ma mémoire comme mon père. Souvent, quand je pense aux rues désertes de ma ville, il est tantôt ici, tantôt là.

Plus d'une fois, devant sa porte, au seuil de sa maison, j'ai voulu le supplier.

Il ne me faut pas de gloire, mais être seulement un artisan silencieux comme vous ; comme vos tableaux suspendus je voudrais être suspendu moi-même dans votre rue, près de vous, chez vous. Permettez !

J'ai oublié comment s'appellent

ces veilles de fêtes, lorsque les Juifs, un par un, ou par groupes, se dirigent vers le cimetière.

Au bout d'une heure ou deux, les plantes d'absinthe apparaissent dans la rue, comme un corps nu parmi des gens vêtus.

Avec mes bouquins, j'y vais, moi aussi. J'arrive

et je m'assieds. Je tâte les haies. Est-ce triste ?

Nous deux, nous savons comme c'est doux de rôder dans ces coins endormis. Rien n'y vit plus, rien n'y bouge. Les pieds frôlent des bouts de papier, des inscriptions, des lettres dépareillées, et ceux qui les ont écrites reposent eux-mêmes quelque part par ici. Au pied des tombes l'herbe sèche ; les traces se perdent, poreuses, humides. La terre tombale boit les larmes et chacun des morts étouffe et meurt pour la seconde fois. — Il ne faut pas pleurer sur les tombes. Il ne faut pas s'allonger sur les tombes d'enfants.

Il y a longtemps que la plaque tumulaire de la tombe de ma petite sœur Rachel a disparu. Elle dépérissait pour avoir mangé du charbon. Enfin, pâle et maigre, elle rendit son dernier soupir. Ses yeux se remplissaient de bleu céleste, d'argent sombre. Ses prunelles se figeaient. Vers le nez, les mouches se précipitaient. Personne ne les chassait.

Je me levais de ma chaise, les chassais et me rasseyais. Je me relevais et me rasseyais.

A peine si les yeux se mouillaient à la vue du cierge flamboyant à son chevet. Un vieillard se tenait à ses côtés, la veillant toute la nuit.

Et sentir que dans quelques heures ce petit corps sera mis dans la terre et que les pieds des hommes trépigneront dessus.

Personne ne pense au dîner. Les sœurs se sont cachées derrière les rideaux des portes ; elles pleurent en serrant leur bouche de leurs dix doigts et elles essuient les larmes avec leurs cheveux, et leurs blouses.

Je ne comprenais pas comment un être vivant peut mourir tout d'un coup.

J'avais souvent vu des enterrements, mais je voulais voir celui qui était dans le cercueil. J'en avais peur aussi.

Un matin, bien avant l'aube, des cris, soudain, montèrent de la rue au-dessous des fenêtres. A la faible lueur de la veilleuse, je parvins à distinguer une femme qui courait seule à travers les rues désertes.

Elle agite les bras, sanglote, supplie les habitants, encore endormis, de venir sauver son mari, comme si moi ou la cousine ventrue assoupie dans son lit pouvions guérir, sauver un mourant. Elle court plus loin.

Elle a peur de rester seule avec son homme.

Des gens effrayés accourent de tous côtés.

Chacun parle, donne des conseils, frotte les bras, la poitrine oppressée.

On l'asperge de camphre, d'alcool, de vinaigre.

Tout le monde gémit, pleure.

Mais les plus fermes, habitués à tout, écartent les femmes, allument tranquillement les cierges et au milieu du silence, commencent à prier à haute voix sur la tête du moribond.

La lueur des cierges jaunes, le teint de ce visage à peine mort, l'assurance de mouvements des vieillards, leurs yeux impassibles me persuadent, moi et l'entourage, que tout est fini.

Vous autres, vous pouvez déjà rentrer chez vous, aller vous recoucher ou allumer le samovar et ouvrir les boutiques.

Toute la journée on entendra les lamentations des enfants chantant « le cantique des cantiques ».

Le mort, solennellement triste, est déjà couché par terre, le visage illuminé par six cierges.

A la fin, on l'emporte.

Notre rue n'est plus la même. Je ne la reconnais pas plus que ces femmes, qui hurlent farouchement.

Un cheval noir traîne le cercueil.

Il est le seul à accomplir simplement son devoir, il conduit l'homme au cimetière.

Un jour, un élève de Pènne vint chez moi. Fils d'un gros marchand, ancien camarade de l'école communale, qu'il avait quittée pour une autre plus bourgeoise, une école de commerce. Ses mérites particuliers firent qu'on lui proposa de la quitter à son tour.

Cheveux noirs, teint pâle, il m'était aussi étranger que sa famille à la mienne.

S'il me rencontrait sur notre pont, il ne manquait jamais de m'aborder et de me questionner, en rougissant, sur la couleur du ciel, des nuages, et me demandait de lui donner des leçons.

« Ne trouvez-vous pas, me disait-il, que ce nuage, là-bas, près du fleuve, est extrêmement bleu ? En se mirant dans l'eau, il tourne au violet. Toi, comme moi, tu adores le violet. N'est-ce pas ? »

Je contenais les sentiments qui s'accumulaient depuis mes études dans cette école communale, où cet aristocrate m'observait comme une curiosité antique.

Ce garçon avait une figure assez plaisante et j'étais souvent embarrassé de la comparer à quoi que ce fût.

Négligeant la richesse et l'aisance qui l'entouraient, j'embellissais avec lui mes années enfantines.

« Bon, lui dis-je : je serai ton pédagogue ; mais je ne veux pas recevoir de l'argent de toi. Soyons plutôt amis. »

Je désertais de plus en plus la maison pour passer toutes mes journées avec lui dans sa maison de campagne. Ou bien nous rôdions à travers champs et prairies.

A quoi bon écrire tout cela ? Parce que, seule, la distinction de mes amis me donnait un peu le courage d'espérer valoir plus que l'humble gosse de la rue de Pokrawskaja.

Ayant déjà voyagé, il m'annonça qu'il se préparait à partir pour Pétersbourg, afin d'y continuer ses études artistiques.

« Écoute, si nous partions ensemble ! »

Que pourrai-je faire, moi, fils d'un simple

commis ? On m'a déjà mis en apprentissage chez un photographe. Le patron me prédisait un avenir splendide, à la condition que je me montre bien ponctuel et que j'accepte de travailler pour lui gratuitement un an encore.

« L'art, c'est une belle chose, disait-il, mais il ne t'échappera pas ! Et d'ailleurs, à quoi bon l'art ? Vois, comme je suis installé. Bel appartement, beaux meubles, clients, femme, enfants, considération ; tout ça tu l'auras aussi. Reste donc plutôt chez moi. »

C'était un bourgeois cossu, avantageux de sa personne. Que de fois l'envie me prit d'éparpiller toutes ses photos et de f... le camp !

Je haïssais le travail de la retouche. Jamais je ne m'en suis tiré. Je ne voyais pas la nécessité de boucher ces points, rides et pattes, de rajeunir les figures toutes différentes, jamais vivantes.

Quand je tombais sur le portrait d'une connaissance, je lui souriais. J'étais prêt à l'embellir, celle-là !

Je me rappelle comment ma mère est allée se faire photographier pour la première fois.

Sur l'enseigne du photographe, des deux côtés figuraient des médailles. Imaginez-vous notre émotion.

Pour que ça revienne meilleur marché, toute notre famille, y compris les oncles et les tantes, avait décidé de se faire photographier ensemble sur une petite carte.

Moi, petit garçon de cinq, six ans, je me tenais près de la jupe de maman, vêtu d'un costume de velours rouge à boutons dorés. Ainsi que ma sœur, qui était de l'autre côté, j'avais la bouche ouverte, pour mieux respirer.

Quand nous sommes venus chercher l'épreuve, nous avons un peu marchandé, selon la coutume.

Le photographe s'est mis en colère, a mis en morceaux l'unique exemplaire de la photo.

Stupéfait, j'ai tout de même ramassé les bouts éparpillés et je les ai recollés à la maison.

Dieu merci !

Un autre photographe, chez qui j'ai travaillé, était plus gentil. Il gémissait si fort qu'on l'entendait de la pièce voisine.

Au moins il me payait en me nourrissant. Je n'oublierai jamais les potages, les larges portions de viande qu'on me donnait comme aux autres ouvriers. Et du pain, tant que j'en voulais.

Merci !

Tout à coup, quelque chose craque.

Muni de mes vingt-sept roubles, les seuls que j'aie reçus de mon père, dans ma vie (pour mon enseignement artistique) — je m'enfuis, toujours rose et frisé, à Pétersbourg, suivi de mon camarade. C'est décidé.

Avec combien de larmes et avec quelle fierté je ramassai cet argent jeté par mon père sous la table. (Je lui pardonne, c'était sa manière de donner.) Je me baissai et le ramassai.

A genoux sous la table, je pensais aux futurs soirs de famine, seul dans les rues pleines de gens rassasiés.

Seul, moi, petit gosse, j'aurais envie de manger, d'être logé. Par moments, je pensais que rester là sous la table, ça ne serait pas mal non plus.

Aux questions de mon père je répondis en bégayant que je voulais entrer dans une école des a... a... arts.

Je ne me souviens pas de la réponse ni de la grimace de mon père.

Il s'est aussitôt précipité, comme d'habitude, pour faire bouillir le samovar, et me jette, tout en marchant :

« Alors, quoi, pars, si tu veux. Mais je veux te dire une seule chose — de l'argent, je n'en ai pas. Tu le vois toi-même. Voilà tout ce que j'ai ramassé. Impossible de rien t'envoyer. N'y compte pas. »

« C'est égal, pensai-je, avec ou sans argent, j'irai.

» Est-il possible, qu'on ne me donnera nulle part au moins une tasse de thé ? Est-il possible que je ne trouve jamais quelque part un bout de pain, sur un banc ou sur une borne ?

» Il arrive souvent qu'on laisse un morceau de pain, enveloppé dans du papier.

» L'essentiel, c'est l'art, la peinture, une peinture différente de celle que tout le monde fait.

» Mais laquelle ? Dieu, ou je ne sais plus qui, me donnera-t-il la force de pouvoir souffler dans mes toiles mon soupir, soupir de la prière et de la tristesse, la prière du salut, de la renaissance ? »

Maintenant, je me rappelle que pas une seule journée, pas une heure ne passaient sans que je me dise : « Je suis encore un gamin. »

Non. L'effroi me saisissait ; comment ferais-je pour me nourrir, alors que je ne suis bon à rien, sauf, peut-être, à dessiner ?

Mais être commis, comme mon père, je ne le pouvais pas non plus, car pour soulever, ainsi qu'il faisait, de gros tonneaux, il me manquait la force physique.

J'étais même content qu'il ne me restât qu'à devenir artiste. C'était pour moi un bon prétexte de ne pas être forcé de gagner ma vie. Et, certainement, étant artiste, pensais-je, je deviendrai un homme.

Mais pour pouvoir habiter à Pétersbourg, il faut non seulement de l'argent, mais encore une autorisation particulière. Je suis israélite. Or, le tzar a fixé une certaine zone de résidence dont les Juifs n'ont pas le droit de sortir.

Mon père a obtenu d'un commerçant un certificat provisoire comme si j'étais chargé d'aller prendre pour lui livraison de quelque marchandise.

Je suis parti (en 1907) vers une vie nouvelle, dans une ville nouvelle.

Sur les quais je courtisais les fillettes.

Et sur les chantiers, sur les toits, dans les greniers, je m'amusais avec les copains.

Devant notre porte, sur un banc, les bruyantes commères de la maison sont assises.

Un de mes camarades passe. Je me cache derrière la porte, en avançant la tête.

« Joseph, c'est demain l'examen. »

Je resterai coucher chez lui. J'observerai sa tête bouclée.

« Faisons ensemble nos devoirs ! »

Paykine et ses jouets, Jachnine et ses harengs, Matzenko et sa locomotive, ils me troublaient tous infiniment.

Mais tant que je m'amusais dans la cour, une tranche de pain beurré dans les mains, la paix régnait dans notre maison.

Tout était tranquille aussi, lorsque je poursuivais mes études à l'école communale et recevais en présent des rubans de mes petites amies.

Mais à mesure que je grandissais, la peur me gagnait.

Il paraît que mon père, ayant en vue certains privilèges pour mon frère cadet, m'avait vieilli de deux ans dans mon acte de naissance.

Mon adolescence précoce. Nuit. La maison dort. Le poêle de faïence est bien chauffé. Papa ronfle.

La rue dort aussi, noire et veloutée.

Soudain, dehors, tout près de notre maison, quelqu'un remue, se mouche, chuchote.

« Maman, criai-je, sûrement, c'est l'agent qui vient me chercher pour le régiment !

— Mon fils, cache-toi vite sous le lit. »

Je m'y glisse et demeure là longtemps, tranquille et heureux.

Vous ne savez pas comme je suis heureux — et je ne sais pourquoi — en m'aplatissant sous un lit ou sur un toit, dans une cachette quelconque.

Sous le lit, la poussière, les chaussures.

Je plonge dans mes réflexions, je vole au-dessus du monde.

Mais aucun agent ne s'est présenté. Je sors de ma cachette.

Alors, je ne suis pas soldat ? Un gamin encore.

Dieu merci.

Je me recouche de nouveau et je rêve d'agents, de soldats, d'épaulettes, de casernes.

Rien, cependant, ne m'empêchait, au temps où je jouais aux bâtons, lorsque je me promenais sur les toits pendant les grands incendies, lorsque je me baignais et dessinais, de courtiser assidûment sur les quais les jeunes filles.

J'étais tourmenté en voyant les lycéennes, les dentelles de leurs longs pantalons, leurs nattes.

Dois-je avouer que, selon l'avis de certains et selon le propre témoignage de la glace, la figure de mon adolescence précoce se composait d'un mélange de vin pascal, de farine ivoirée et de pétales rosés, égarés entres les feuilles d'un livre ?

Vous direz, comme je m'admirais !

Mes familiers m'ont surpris plus d'une fois devant la glace. A vrai dire, je m'observais en pensant aux difficultés que j'aurais si un jour je voulais faire mon portrait. Mais — pourquoi pas ? — il y avait là-dedans un peu d'admiration. Je l'avoue, je n'hésitais pas à me cerner un peu les yeux, à me rougir légèrement la bouche, bien qu'elle n'en eût pas besoin et oui... oui... je voulais leur plaire... sur les quais.

J'avais du succès. Mais jamais je n'ai pu tirer aucun profit de ce succès.

Me voilà à Lyozno avec Nina. Promenade favorable ; je le sens et je tremble. Ou tout le contraire.

Nous sommes sous le pont, sous le toit d'un vieux grenier, sur un banc.

Nuit. Nous sommes seuls.

Au loin, un fiacre roule vers la gare.

Plus personne. Tu peux faire ce que tu veux. Et que voulais-je ? J'embrasse.

Un baiser, deux. Aujourd'hui, demain, il y aura toujours une limite.

Bientôt l'aube. Je suis mécontent. Nous entrons dans la maison de ses parents. L'air y est étouffant. Tout le monde dort.

Demain samedi. Et si on me voit le matin, tout le monde en sera content.

Un fiancé bien convenable. On nous félicitera, elle et moi.

Rester ? Quelle nuit ! Qu'il fait chaud ! Où es-tu ?

Je suis ignorant en fait de romantisme actif. N'avais-je pas suivi Aniouta pendant quatre ans, en soupirant ? Et je n'osais, à la fin de la quatrième année — et sur son initiative — que lui rendre un baiser effrayant, un soir devant la porte de la clôture et justement alors que son visage bourgeonnait ?

Quinze jours après, je ne la saluais plus. A quoi bon ? J'avais appris qu'un acteur lui faisait la cour.

Que de mises en scène, montées exprès par cette jeune fille violente, pour m'attirer dans un piège !

Que de rendez-vous intimes, malicieusement organisés par elle et par ses amies !

Je ne sais pas plus ce que je devenais ni où s'était sauvée mon audace.

Comme homme, j'étais nul. Elle le comprenait et moi aussi je sais que cela aurait pu tourner tout à fait autrement, si seulement j'avais été plus déluré.

Non, non.

J'avais une frousse mortelle devant son corset, qu'elle mettait exprès.

Je ne comprenais rien et comprenais tout de même que je perdais mon temps.

En vain elle m'accompagnait lorsque j'allais peindre une étude hors de la ville, sur la colline Jules. Ni le calme de la forêt proche, ni les vallées désertes, ni les champs vastes ne m'emplissaient de cette force dont j'aurais eu besoin pour vaincre ma frayeur et, cependant...

Un soir, j'étais assis avec elle sur le quai, à l'extrémité de la ville, là où se trouvent les bains.

En bas, le fleuve se fond, coule doucement.

« Ose ! » pensai-je.

Ma casquette est sur sa tête. Je m'appuie à son épaule. C'est tout.

Soudain, j'entends des pas, une bande de copains s'avance.

Elle s'approche de nous, de moi. Je veux reprendre ma casquette.

« Aniouta, rends-moi ma casquette », dis-je

Nous quittons le banc, mais ma casquette est toujours sur sa tête. On nous suit.

Quelqu'un me régale d'un coup violent dans le dos puis, en fuyant, me crie :

« Laisse-la tranquille et ne t'avise plus de revenir sur le quai, sinon... »

Marc Chagall

Je ne te vois plus aujourd'hui, Aniouta.

Il y a longtemps que cela se passait.

Je suis grand maintenant ; il n'y a plus en moi ni enfance ni adolescence, et tant de tristes pensées dans ma tête !

Comme j'aurais voulu faire revivre ce temps-là, te reconnaître, revoir ton visage, peut-être vieilli !

Il était lisse, sans rides, et une ou deux fois j'ai osé l'embrasser. T'en souviens-tu ?

C'est toi, la première, qui m'as attiré et m'as embrassé. Je suis resté muet. La tête me tournait. Mais je me retenais et j'ai gardé la même expression dans les yeux pour te montrer combien je suis audacieux.

Un jour, tu es tombée malade. Tu étais couchée dans ton lit. Il y avait sur ton visage de petits boutons rouges. Je me suis approché et installé au pied du lit. Je te demandais si ce n'était pas parce que je t'avais embrassée l'autre soir.

« Non », me répondis-tu en traînant, et tu souriais.

Ce temps ne reviendra jamais.

Sur la patinoire, au-dessous du pont, j'ai fait la connaissance de ton amie, Olga, une lycéenne. Figure carrée, nez à peine retroussé, légèrement bigle.

Je ressentais, en la voyant, les douleurs d'une femme enceinte. Des désirs de toute sorte bouillonnaient en moi, mais elle rêvait d'amour éternel.

J'avais envie de me retirer quelque part et de l'effacer de la terre.

Mais ses mains flétries et ses jambes un peu courtes me faisaient pitié.

Quand je l'ai abandonnée, je lui ai envoyé des vers d'adieu, lui disant que je n'étais pas fait pour l'amour éternel dont elle rêvait.

A mon troisième roman je suis devenu plus farouche. J'embrassais à droite et à gauche. Je ne me gênais plus.

Vaut-il la peine de vous tourmenter et de me tourmenter en vous racontant mes enfantillages romanesques ?

D'un an à l'autre, au-dessus de moi, les soirs s'éteignaient et, derrière les clôtures, en vain mourait l'amour à peine né.

Dans les jardins et dans les allées, depuis longtemps les baisers se sont flétris sur les bancs.

Les pluies les ont chassés.

Personne ne prononce plus vos noms.

Je passerai devant vos rues et l'amertume des rencontres désolées, je la transporterai sur mes toiles.

Qu'ils brillent sur elles, et qu'ils s'y éteignent, les brouillards de nos jours !

Et le spectateur étranger sourira.

Je suis chez Théa, couché sur le divan dans le cabinet de son père, médecin.

J'aimais à m'allonger ainsi près de la fenêtre,

sur ce divan recouvert d'une toile cirée noire, terne, trouée à plusieurs endroits.

C'est sur ce divan, assurément, que se faisaient examiner les femmes enceintes et les malades, qui souffraient de l'estomac, de la tête, du cœur.

Je me mettais sur ce divan, les bras en arrière, et, rêvant, j'observais le plafond, la porte, la place où Théa était assise.

Je l'attends. Elle est affairée. Elle prépare le dîner — poisson, pain et beurre — et son chien, grand et gros, lui tourne autour des jambes.

Je me mettais là tout exprès pour que Théa s'approche vers moi, pour qu'elle m'embrasse. J'étendais les bras, les bras du salut.

On sonne. Qui est-ce ?

Si c'est son père qui rentre, il faut que j'abandonne le divan et que je m'en aille.

Qui est-ce donc ?

C'est une amie de Théa. Elle entre. Sa voix retentit, elle gazouille avec Théa.

Je reste encore dans le cabinet. Je ne sors pas. Si, je suis sorti, mais l'amie, me tournant le dos, ne peut m'apercevoir.

Je sens... Qu'est-ce que je sens ?

D'une part, je suis fâché qu'on ait dérangé mon repos, mon espoir que Théa s'approcherait peut-être de moi.

D'autre part, la visite de cette jeune fille inconnue et sa voix chantante, on dirait de l'autre monde, me troublent.

Qui est-elle ? J'ai peur. Non, je veux l'aborder, me rapprocher d'elle.

Mais déjà elle prend congé de Théa. Elle me regarde à peine et s'en va.

Nous partons, Théa et moi, nous promener. Sur le pont nous la rencontrons de nouveau.

Elle est seule, toute seule.

Brusquement je sens que ce n'est pas avec Théa que je dois être, mais avec elle !

Son silence est le mien. Ses yeux, les miens. C'est comme si elle me connaissait depuis longtemps, comme si elle savait tout de mon enfance, de mon présent, de mon avenir ; comme si elle veillait sur moi, me devinant du plus près, bien que je la voie pour la première fois.

Je sentis que c'était elle ma femme.

Son teint pâle, ses yeux. Comme ils sont grands, ronds et noirs ! Ce sont mes yeux, mon âme.

Théa me parut indifférente, étrangère.

Je suis entré dans une maison nouvelle et j'en suis inséparable.

La chambre chez Javitch, dans notre cour, c'était mon atelier. Pour y arriver il fallait traverser la cuisine, la salle à manger du patron où ce grand vieillard barbu, un marchand de cuir, était assis devant la table et buvait son thé.

Quand je traversais sa chambre, il tournait légèrement la tête : « Bonjour. »

Mais je me sentais gêné en voyant sur la table la lampe et deux assiettes d'où émergeait un os énorme.

Sa fille, une brune laide, vieille fiancée perpétuelle, souriait d'un sourire large et étrange. Ses cheveux étaient ceux d'une icône et ses yeux vacillaient timidement.

En me voyant, elle se couvrait désespérément d'un fichu ou d'une nappe.

Ma chambre s'éclairait du bleu foncé, tombant de la fenêtre unique. La lumière venait de loin : de la colline, où se trouvait l'église.

J'éprouve toujours du plaisir à peindre une fois de plus cette église et cette petite colline sur mes tableaux.

Souvent je sautais dans mon lit, pieds en l'air. Toiles sur les murs, carreaux brouillés, poussière, chaise unique, maigre table.

Bella frappe à la porte, elle frappe timidement de son petit doigt mince et maigre.

Dans ses bras, serrés contre sa poitrine, elle tient un gros bouquet de sorbiers, vert nébuleux piqué de rouge.

« Merci, dis-je, merci. »

Ce n'était pas le mot.

Il fait sombre. Je l'embrasse.

Une nature morte se dessine magiquement dans mon esprit.

Elle pose pour moi.

Couché, un nu blanc s'arrondit.

J'avance timidement. Je l'avoue, je voyais un nu pour la première fois.

Bien qu'elle fût presque ma fiancée, je craignais quand même de l'approcher, de m'avancer plus près, de toucher tout ce bien.

Comme si un plat était étalé devant tes yeux.

J'en ai fait une étude et l'ai accrochée au mur.

Le lendemain ma mère entre chez moi et voit cette étude.

« Qu'est-ce que c'est ? »

Une femme nue, les seins, les taches foncées.

J'ai honte ; elle aussi.

« Enlève cette fille ! dit-elle.

— Petite maman ! Je t'aime trop. Mais... tu ne t'es jamais vue nue ? Et moi je regarde et ne fais que la dessiner. C'est tout. »

Mais j'ai obéi à ma mère. J'ai enlevé la toile et, à la place de ce nu, j'ai fait un autre tableau, une procession.

Bientôt, je déménageai dans une autre chambre, chez un gendarme.

J'en étais même content. Il me semblait qu'il veillait sur moi jour et nuit.

Tu peux peindre ce que tu veux.

Bella peut venir et partir à son gré.

Le gendarme était un homme de haute taille, aux moustaches tombantes — comme sur les images.

En face de sa maison se dressait l'église Ilynsky. Il neigeait.

Un soir, sortant avec Bella pour la reconduire à la maison de ses parents, tandis que nous nous embrassions, nos pieds ont heurté un gros paquet.

Qu'est-ce que c'est ?

Un bébé abandonné. Une chair frêle, emmitouflée dans de la laine sombre, qui gémit.

Tout fier, je le remets à mon gendarme puissant.

Une autre fois il fait déjà nuit, Bella ne peut plus sortir ; la porte est fermée.

La petite lampe fume. Devant le poêle de la cuisine, les pelles, les fourches se tiennent somnolentes. Tout est figé. Des casseroles vides traînent.

Comment la faire sortir ? Qu'en penseront les voisins endormis ?

« Écoute, lui dis-je, passe par la fenêtre ! »

Ça nous fait rire. Je la fais descendre par la fenêtre dans la ruelle.

Le lendemain, on chuchotait dans la cour et dans la rue : « Vous savez, elle grimpe même par la fenêtre pour entrer chez lui et pour en sortir. Jusqu'où ça va ! »

Allez donc leur dire que ma fiancée était restée plus pure que la Madone de Raphaël et que moi j'étais un ange !

Des chambres, des recoins à louer, tant qu'on en veut. Les annonces ne manquent pas plus que l'humidité. En arrivant à Pétersbourg, j'avais loué une chambre que je partageais avec un sculpteur débutant, dont l'écrivain Chalom-Aleichem disait qu'il était un futur Antokolsky (il serait bientôt médecin).

Comme une bête fauve, il hurlait et se ruait farouchement sur sa terre glaise, pour qu'elle ne se desséchât pas.

Est-ce que cela me regarde ?

Je suis quand même un homme. Je ne peux tout de même pas me réveiller chaque fois qu'il renifle.

Un jour, lui lançant la lampe à la tête, je lui ai dit :

« Va-t'en, va chez ton Chalom-Aleichem ; je veux rester seul. »

Aussitôt après mon arrivée dans la capitale, je suis allé passer l'examen d'admission à l'école des Arts et Métiers du baron Stéglitz.

C'est ici, pensais-je, en regardant la maison, qu'on obtient l'autorisation d'habiter la capitale, et une subvention pour y vivre.

Mais les études, la copie de ces longs ornements de plâtre qui me semblaient un magasin, tout m'effrayait.

Je pensais : ces ornements sont choisis exprès pour faire peur, pour embarrasser les élèves israélites, afin qu'ils ne puissent obtenir l'indispensable autorisation.

Hélas ! mon pressentiment était juste.

J'ai échoué à l'examen. Je n'ai eu ni recommandation ni subvention. Rien à faire.

Il m'a fallu entrer dans une école plus accessible, celle de la Société pour la protection des arts, où j'entrai sans examen en troisième.

Qu'est-ce que j'y faisais ? Je ne saurais le dire.

De nombreuses têtes en plâtre de citoyens grecs et romains sortaient de tous les coins, et moi, pauvre provincial, je devais me pénétrer des misérables narines d'Alexandre de Macédoine ou d'un autre idiot plâtreux.

Parfois je m'approchais de ces nez et les frappais. Et, du fond de la salle, je contemplais longuement les seins poussiéreux de la Vénus.

Bien qu'on approuvât ma manière de peindre, je n'en voyais pas les résultats.

Je ne pouvais pas regarder avec indifférence ces élèves-cochers qui pressaient le papier avec la gomme et avec la sueur, comme avec une pelle.

Au fond ce n'étaient pas de mauvais garçons. Mon type sémite éveillait leur curiosité. Ils m'ont même conseillé de rassembler toutes mes esquisses (je n'en ai pas gardé une seule) et de les présenter au concours.

Lorsque je me suis trouvé au nombre des quatre pensionnés élus, j'ai eu le sentiment que le passé ne reviendrait plus.

Je touchai dix roubles par mois durant un an.

J'étais riche et je me régalais presque journellement, dans un petit restaurant de la rue Zoukowskaja, d'un plat après lequel je manquai souvent de m'évanouir.

Le sculpteur Guinzbourg me tira d'affaire.

Chétif, de petite taille, barbiche noire, homme excellent. Je me souviens de lui avec une reconnaissance particulière.

Son atelier dans l'Académie même des Beaux-Arts, rempli de souvenirs de son maître Antokolsky et de ses propres bustes de toutes les célébrités contemporaines, me semblait un centre habité par des élus qui avaient parcouru le chemin pénible de la vie.

En effet, ce petit homme était en relations étroites avec Léon Tolstoï, Stassoff, Répine, Gorky, Chaliapine, etc.

Sa célébrité était au zénith, alors que moi, j'étais un rien du tout, sans aucun droit à vivre, sans le plus humble revenu mensuel.

Je ne sais pas s'il a trouvé dans mes études d'adolescent quelques mérites particuliers.

En tout cas, il m'a muni, comme il faisait

d'habitude, d'une lettre de recommandation pour le baron David Guinzbourg.

Ce dernier, voyant dans chaque gosse qu'on lui présentait un futur Antokolsky (que d'illusions perdues !) m'attribua une subvention mensuelle de dix roubles, pour quelques mois seulement.

Et après, débrouille-toi tout seul !

Ce baron érudit, ami intime de Stassoff, ne s'entendait que bien peu aux choses de l'art.

Mais il crut de son devoir de s'entretenir gracieusement avec moi, en me racontant des histoires suivies d'une morale d'où il résultait qu'un artiste doit être très prudent.

« Voilà, par exemple, la femme d'Antokolsky, elle n'était pas bonne. Il paraît qu'elle chassait de son seuil les mendiants. Faites-y attention ! Soyez prudent !... La femme peut avoir une grande importance dans la vie de l'artiste. »

Je pensais respectueusement à autre chose.

Je touchai sa subvention, pendant quatre, cinq mois.

Je pensais : le baron me reçoit assez gentiment, il s'entretient avec moi. Ne pourrait-il donc pas subvenir à mes besoins, pour que je puisse vivre et travailler ?

Un jour que je venais chercher les dix roubles, son magnifique valet de chambre me dit, en me les tendant :

« Voilà, et c'est pour la dernière fois. »

Le baron et toute sa famille avaient-ils réfléchi

à ce que j'allais devenir, en quittant son somptueux escalier ? Pouvais-je, à dix-sept ans, arriver à gagner ma vie avec mes études — ou pensait-il tout simplement : débrouille-toi seul, vends des journaux.

Alors, pourquoi m'avait-il fait la grâce de s'entretenir avec moi, comme s'il avait eu foi en mes dispositions artistiques ?

Je n'y comprenais rien. Et il n'y avait rien à y comprendre.

C'était moi qui en souffrais, personne d'autre. Je n'avais pas même un coin où dessiner.

Adieu, baron !

C'est à cette époque que je fus présenté à une pléiade de mécènes. Partout, dans leurs salons, je me sentais comme au sortir du bain, le visage rouge et échauffé.

Oh ! l'autorisation d'habiter la capitale !

Me voici domestique chez l'avocat Goldberg.

Les avocats avaient le droit de garder des domestiques juifs.

Mais, selon la loi, je devais vivre et prendre mes repas chez lui.

Nous nous sommes liés.

Au printemps, il m'emmenait chez eux, dans leur propriété de Narwa où sa femme et ses sœurs, les Germontes, dans les grandes salles, à l'ombre des arbres et au bord de la mer, répandaient tant de tendresse.

Chers Goldberg ! Votre image est devant mes yeux.

Mais avant de connaître ces mécènes, je ne savais pas où me loger.

Mes moyens ne me permettaient pas de louer une chambre ; je devais me contenter de coins de chambres. Je n'avais même pas un lit pour moi tout seul. Il me fallait le partager avec un ouvrier. C'est vrai que c'était un ange, cet ouvrier aux moustaches très noires.

Il était si gentil avec moi qu'il se poussait tout contre le mur, pour me faire plus large place. Lui tournant le dos, face à la fenêtre, j'aspirais l'air frais.

Dans ces coins en commun, avec des ouvriers et des marchands des quatre-saisons pour voisins, il ne me restait qu'à m'allonger au bord de mon lit et à réfléchir sur moi-même. A quoi encore ? Et les rêves m'accablaient : Une chambre carrée, vide. Dans un angle, un seul lit et moi dessus. Il fait sombre.

Soudain, le plafond s'ouvre et un être ailé descend avec éclat et fracas, emplissant la chambre de mouvement et de nuages.

Un frou-frou d'ailes traînées.

Je pense : un ange ! Je ne peux pas ouvrir les yeux, il fait trop clair, trop lumineux.

Après avoir fureté partout, il s'élève et passe par la fente du plafond, emportant avec lui toute la lumière et l'air bleu.

De nouveau il fait sombre. Je me réveille.

Mon tableau « L'apparition » évoque ce rêve.

Une autre fois, j'ai loué la moitié d'une chambrette, quelque part, dans la rue Panteleïmonowsky. La nuit, je ne parvenais pas à comprendre d'où venait tout le bruit qui m'empêchait de dormir.

L'autre moitié de la chambre n'était séparée de la mienne que par un drap. Pourquoi ces ronflements ?

Une autre fois, le locataire de la seconde moitié de chambre, un ivrogne, typographe le jour, et le soir, accordéoniste de jardin public, rentra tard dans la nuit et, après s'être bourré de choux aigres, réclama sa femme.

Celle-ci le repoussa, vint se réfugier dans ma moitié de chambre puis se sauva dans le corridor, vêtue seulement d'une chemise de nuit. Il la poursuivait un couteau à la main.

« Comment oses-tu te refuser à moi, ton mari légitime ? »

J'ai compris alors qu'en Russie, non seulement les Juifs n'ont pas le droit de vivre, mais bien des Russes non plus, entassés comme la vermine dans les cheveux. Mon Dieu !

J'ai déménagé de nouveau.

Mon compagnon de chambre était un Persan, d'origine assez mystérieuse. Il avait fui de son pays où il avait été tantôt révolutionnaire, tantôt attaché à la suite de l'ancien Schah. On ne savait pas trop.

Il m'aimait comme un oiseau, tout en rêvant de sa Perse ou de ses mystérieuses affaires.

Plus tard, j'ai appris que cet ancien suivant

du Schah s'était suicidé à Paris sur les boulevards.

Cependant, mes supplices se renouvelaient faute de cette fameuse autorisation, et aussi parce que le service militaire approchait.

Un jour, revenant à Pétersbourg après les vacances, sans sauf-conduit, je fus arrêté par le commissaire en personne.

Le distributeur de passeports n'ayant pas reçu le pourboire espéré (je n'avais pas compris), m'insultait violemment et ordonnait :

« Hé, par ici, arrêtez-le... il est entré dans la capitale sans autorisation ! En attendant, fourrez-le au violon avec les voleurs ; après, vous le ferez transporter à la prison. »

Ainsi fut fait.

Dieu merci ! Enfin je suis tranquille.

Ici, au moins, j'ai le droit de vivre. Ici je pourrai être tranquille, rassasié et peut-être pourrai-je même dessiner en paix ?

Nulle part ailleurs je ne m'étais senti si à mon aise que dans cette cellule où on me déshabilla complètement pour me mettre la tenue des prisonniers.

L'argot des voleurs et des prostituées était bien amusant. Ils ne m'injuriaient ni ne me bousculaient ! J'avais même leur estime.

Plus tard, on me transféra dans une cellule isolée avec un vieillard fantastique.

Ça me plaisait de me heurter, une fois de plus, sans aucun besoin, dans ce long lavabo, d'y déchif-

frer les inscriptions qui tapissaient les murs et les portes, de m'attarder à la longue table du réfectoire devant une assiette d'eau.

Et, dans cette cellule à deux, lorsque l'électricité s'éteignait infailliblement vers neuf heures du soir, qu'on ne pouvait plus ni lire, ni dessiner, je dormais à mon aise. Les rêves revenaient.

En voici un : Plusieurs enfants d'un même père — je suis l'un d'eux — sont quelque part, au bord de la mer.

Tous, sauf moi, sont enfermés dans une cage à fauve, haute et large. Le père, un orang-outang, au mufle basané, tient un fouet à la main ; tantôt il nous menace, tantôt il gémit.

Soudain, nous vient l'envie de nous baigner ainsi que mon frère aîné Wrubel, le peintre russe, qui se trouvait aussi, je ne sais pas pourquoi, parmi mes nombreux frères.

Le premier qu'on fit sortir, ce fut Wrubel.

Je me souviens, je vois comment il se déshabille, notre bien-aimé. On voit au loin ses jambes dorées qui s'ouvrent comme des ciseaux. Il s'avance vers le large. Mais la mer déchaînée hurle, bouillonne. Une ruée de vagues furieuses, se chevauchant comme de hautes crêtes. Les flots, épais comme de la mélasse, roulent bruyamment. Qu'est devenu mon pauvre frère ? Nous sommes tous inquiets. On ne voit plus, au loin, que sa petite tête, ses jambes ne brillent plus.

Enfin, la tête même disparaît.

Un bras s'est tendu hors de l'eau, et puis plus rien.

Tous les enfants hurlaient :

« Il s'est noyé, notre frère aîné, Wrubel ! »

Le père répétait de sa basse :

« Il s'est noyé, notre fils, Wrubel. Il ne nous reste qu'un fils peintre, toi, mon fils. »

C'était donc moi.

Je me suis éveillé.

Libéré enfin, je décidai d'apprendre un métier quelconque dont l'exercice me vaudrait l'autorisation d'habiter la capitale. J'entrai donc en apprentissage chez un peintre d'enseignes, afin de pouvoir obtenir le brevet dans une école professionnelle.

J'avais peur de l'examen. Je saurais peut-être dessiner des fruits ou un Turc fumant, mais sûrement, j'échouerai sur les lettres. Cependant, je me passionnais pour ces enseignes et j'en fis toute une série.

Il m'était agréable de voir se balancer au marché, sur le seuil d'une boucherie ou d'une fruiterie, mes premières enseignes, près desquelles se frottait tendrement un cochon ou une poule, tandis que le vent et la pluie, insouciants, les éclaboussaient de boue.

Mais j'avais beau suivre les cours de l'École de Protection des Beaux-Arts, j'avais le sentiment que je n'en serais jamais satisfait.

L'enseignement était inexistant. Notre directeur, Rérich, écrivait des poèmes illisibles, des livres historico-archéologiques, et, souriant, les dents serrées, en lisait des fragments, je ne sais pas pourquoi, même à moi, élève de son école, comme si j'y comprenais quelque chose.

Deux ans perdus dans cette école. Il faisait froid dans les classes. A l'odeur de l'humidité se joignait celle de la terre glaise, des couleurs, du choux aigre, de l'eau dormante du canal de Moyky, tant d'odeurs, réelles ou imaginaires.

Bien que je m'efforce de travailler, il ne me reste qu'un sentiment d'amertume. Cependant, je n'entends autour de moi que des éloges. Je comprends que continuer ainsi n'a aucun sens.

De temps à autre, mon professeur aux longues jambes, dans la classe de nature morte, me réprimandait devant tout le monde.

C'est vrai, que le barbouillage de ses élèves m'enrageait particulièrement.

Ils passaient plusieurs années dans une même classe.

Je ne savais que faire, ni comment. Presser le papier avec le fusain et les doigts ou bâiller comme les autres.

Aux yeux de mon professeur mes études étaient des barbouillages sans aucun sens.

Après avoir entendu des critiques comme : « Quelle fesse avez-vous dessinée là ? et encore, un subventionné ! » je quittai l'école pour toujours.

A cette époque, l'école de Bakst à Pétersbourg commençait à être renommée.

Aussi éloignée de l'Académie que de l'École de Protection des Arts, c'était la seule école animée d'un souffle européen. Mais les trente roubles mensuels m'effrayaient. Où les prendre ?

M. Sew qui me disait toujours en souriant : « Le dessin, surtout le dessin, pensez-y » me donna une lettre de recommandation pour M. Bakst.

Rassemblant tout mon courage, je pris mes études, celles qui avaient été exécutées en classe et les autres, peintes à la maison et les portai chez Bakst, à son domicile, rue Serguiewskaïa.

« Le patron dort encore », me répondit la soubrette mystérieuse de Léon Bakst.

Une heure de l'après-midi et encore au lit, pensai-je.

Silence. Ni des cris d'enfants, ni l'odeur d'une femme. Aux murs, des images de dieux grecs, un rideau d'autel de synagogue, en velours noir brodé d'argent. Curieux. De même qu'autrefois je bégayais devant M. Pènne : « Je m'appelle Marc, j'ai l'intestin très sensible et pas d'argent, mais on dit que j'ai du talent », je chuchote timidement dans l'antichambre de Bakst.

Il dort encore, mais il viendra bientôt. Je dois réfléchir à ce que je lui dirai.

Voilà, je lui dirai, je le sens : Mon père est un petit commis et votre appartement est bien propre...

Je n'avais jamais été aussi troublé par l'attente.

Enfin, le voici. Je n'ai pas oublié le sourire

teinté soit de pitié, soit de bienveillance, avec lequel il m'a accueilli.

Il me semblait que c'était par hasard qu'il était vêtu en Européen. Il est Juif. Au-dessus de son oreille se tortillent des boucles roussâtres. Il aurait pu être mon oncle, mon frère.

J'en venais à penser qu'il était né non loin de mon ghetto et que lui aussi avait été un gosse rose et pâle comme moi ; peut-être même bégayait-il, comme moi.

Entrer à l'école de Bakst, le voir, me troublait, je ne sais pourquoi.

Bakst. L'Europe. Paris.

Il me comprendra, lui ; il comprendra pourquoi je bégaye, pourquoi je suis pâle, pourquoi je suis si souvent triste et même pourquoi je peins avec des couleurs lilas.

Il se tenait devant moi, souriant légèrement en me montrant une rangée de dents brillantes, roses et dorées.

« A quoi puis-je vous être utile ? » dit-il.

Sur ses lèvres, certaines paroles traînaient singulièrement et cet accent particulier ajoutait à son caractère européen.

Sa gloire, à la suite de la saison russe à l'étranger, me tournait, je ne sais pourquoi, la tête.

« Faites voir vos études », me dit-il.

Moi... quoi donc... Plus moyen de reculer ou de faire le timide. Si ma première visite à Pènne n'avait d'importance que pour ma mère, celle que je faisais à Bakst en avait une grande pour moi et son opinion (quelle qu'elle fût) était pour moi décisive.

Je ne voulais qu'une chose : qu'il n'y eût pas d'erreur.

Me reconnaîtrait-il du talent, oui ou non ?

Feuilletant mes études, qu'une à une je soulevais du parquet, où je les avais entassées, il disait, traînant sur les mots avec son accent seigneurial :

« Ou...i, ou...i, il y a là du talent ; mais vous avez été gâ-â-ché, vous êtes sur une fau-ausse route... gâ-â-ché. »

Assez ! Mon Dieu, moi ? Le subventionné de l'École de Protection des Arts, celui à qui le directeur prodiguait machinalement ses sourires luisants, le même dont la manière (qu'elle soit maudite) était louée, mais aussi le même qui, doutant constamment de soi, n'éprouvait aucune satisfaction de ses barbouillages.

Mais la voix de Bakst, ses paroles — gâché mais pas complètement — me sauvaient.

Qu'un autre les eût prononcées, je n'y aurais prêté aucune attention. Mais l'autorité de Bakst est trop grande pour que je néglige sa conclusion. Je l'écoute debout, ému, faisant foi à chaque mot tandis que confus je roule mes toiles et mes dessins.

La rencontre avec Bakst ne s'effacera jamais de ma mémoire.

A quoi bon dissimuler : quelque chose dans son art me demeurait étranger.

La faute n'en était peut-être pas à lui, mais à la société artistique « Mir Iskoustva », dont il était membre et où florissaient la stylisation, l'esthétisme, toutes sortes de façons mondaines, de maniérismes ; pour cette Société, les révolutionnaires de l'art contemporain — Cézanne, Manet, Monet, Matisse et les autres — n'étaient que des lanceurs de modes passagères.

N'en fut-il pas ainsi avec le célèbre critique russe Stassoff qui, ébloui, aveuglé par ses prophéties nationales et ethnographiques à la mode, alors, déroutait pas mal d'artistes, ses contemporains. Moi qui n'avais même pas l'idée qu'il existait dans le monde un Paris, je trouvai dans l'école de Bakst, une Europe en miniature.

Plus ou moins doués, les élèves de Bakst voyaient en tout cas le chemin qu'ils suivaient. De plus en plus, j'étais convaincu qu'il me fallait tout oublier de mon passé.

Je me mis à travailler. Un modèle posait, grosses jambes roses, fond bleu.

Dans l'atelier, parmi les élèves, la comtesse Tolstoy, le danseur Nijinsky.

Je suis de nouveau intimidé.

J'avais entendu dire que Nijinsky était un danseur déjà célèbre et qu'on l'avait congédié du Théâtre Impérial rien que pour sa mise audacieuse.

Son chevalet est placé à côté du mien. Il dessine un peu maladroitement, comme un enfant.

Lorsqu'il s'approchait de lui, Bakst se contentait de sourire, en le frappant légèrement à l'épaule.

Nijinsky me souriait à moi aussi, comme s'il voulait encourager mes audaces, dont je ne me rendais pas compte. Cela nous a rapprochés davantage.

L'étude est achevée. Bakst corrige le vendredi.

Il ne vient qu'une fois par semaine. Tous les élèves abandonnent alors le travail. Les chevalets sont rangés. On l'attend. Le voici.

Il va d'une toile à l'autre, sans savoir exactement à qui elles appartiennent.

Il ne demande qu'ensuite : « A qui est-ce ? » Il parle peu — un ou deux mots — mais l'hypnose, la frayeur et le souffle de l'Europe achèvent l'affaire.

Il s'avance vers moi. Je suis perdu. Il me parle ; plus exactement il parle de mon étude sans savoir (ou le dissimulant) que c'est la mienne. Il m'adresse quelques mots indifférents comme on en dit dans une conversation distinguée.

Tous les élèves me considèrent avec compassion.

« De qui est cette étude ? demande-t-il enfin.

— De moi.

— Je m'en doutais. Naturellement », ajoute-t-il.

En un instant passa dans ma tête le souvenir de tous mes coins, de toutes mes pauvres chambres, mais nulle part je ne m'étais senti aussi gêné qu'après la remarque de Bakst.

Je sentis que cela ne pouvait plus continuer ainsi.

J'ai fait une autre étude. Un vendredi. Bakst arrive. Point d'éloge.

J'ai fui l'atelier. Durant trois mois, Allia Berson, qui était sensible et gentille pour moi, a payé en vain le prix des leçons, tandis que j'étais absent.

C'était au-dessus de mes forces. En somme, je ne suis pas capable de m'instruire. Ou, plutôt, on ne peut pas m'instruire. Ce n'est pas pour rien que j'étais déjà un mauvais élève de l'école communale. Je ne saisis rien que par mon instinct. Vous comprenez ? Et la théorie scolaire n'a aucune prise sur moi.

En somme, la fréquentation de l'école avait plutôt pour moi un caractère de renseignement, de communication, que d'instruction proprement dite.

Après l'échec de mes deux premières études dans l'école de Bakst, et n'en discernant pas la cause, je m'enfuis pour m'orienter en liberté et pour essayer de secouer le joug qui m'embarrassait.

Je ne revins à l'école qu'après trois mois, bien décidé à ne pas me rendre et à obtenir devant tous les élèves distingués une approbation du maître.

J'ai oublié toutes les instructions précédentes et je fais une étude nouvelle.

Le vendredi suivant, elle était appréciée par Bakst et, en signe de distinction, accrochée au mur de l'atelier.

Dans un bref délai je compris que je n'avais plus rien à faire dans cette école. D'autant plus que Bakst lui-même, à la suite de la nouvelle saison russe à l'étranger, abandonnait l'école et même Pétersbourg, pour toujours.

Je dis en bégayant :

« Pourrait-on, Léon Samuëlewitch ?... Vous savez, Léon Samuëlewitch, je voudrais... à Paris.

— Ah !... Si vous voulez. Dites-moi, savez-vous brosser les décors ?

— Parfaitement (je n'en avais aucune idée).

— Alors, voilà cent francs. Apprenez bien ce métier et je vous emmènerai. »

Or, nos chemins se sont séparés et je suis parti pour Paris tout seul.

J'ai excité mon père à la révolte.

« Père, lui disais-je, écoute ; tu as déjà un grand fils, un peintre. Quand te lasseras-tu d'enrichir ton patron de ton service infernal ? Vois donc, ne me suis-je pas assez évanoui à Pétersbourg ? N'ai-je pas assez mangé de côtelettes hachées ? Que deviendrai-je, moi, à Paris ? »

Et lui, de me répondre :

« Quoi, m'en aller ? Et c'est toi qui vas me nourrir ? Nous savons ça. »

Maman se prenait le cœur.

« Mon fils, nous sommes tes parents. Écris-nous plus souvent. Demande-nous quelque chose. »

Sous mes pieds, se dérobait le sol maternel.

Le fleuve sévère coulait rudement ; ce n'était pas celui au bord duquel je vous embrassais...

L'église d'Ouspène, au-dessus de la colline, le dôme plus haut. La Dwina s'éloigne de plus en plus. Je ne suis plus un gamin.

Sitôt que j'ai commencé à savoir m'exprimer en russe, je me suis mis à écrire des vers. Comme si je les exhalais.

Qu'importe si c'est un mot ou un soupir ? Je les lisais à mes amis. Eux aussi écrivaient des poèmes, mais dès que je leur lisais les miens leur poésie s'évanouissait.

Je soupçonnais V... de nous donner des traductions de poèmes étrangers pour des créations personnelles.

J'avais envie de montrer mes vers à un vrai poète, un de ceux qui font imprimer leur poésie.

Je me risquai à demander au sculpteur Guinzbourg de les soumettre à un poète de ses amis qui jouissait alors d'une certaine vogue.

Mais à peine lui avais-je fait part de ce désir (et comme il m'était pénible même d'ouvrir la bouche) il se mit à tourner à travers son atelier, se frayant un chemin au milieu de ses statues, et criant :

« Quoi ? Comment ? A quoi bon ? Un peintre n'en a pas besoin. N'en faut pas ! Ça ne doit pas être permis. N'en faut pas ! »

J'étais effrayé, mais aussi calmé, du même coup.

En effet, il n'en faut pas.

Lorsque je fis, plus tard, la connaissance d'Alexandre Block, poète d'une qualité rare et fine, le désir me revint de lui montrer mes vers pour avoir son opinion.

Mais devant ses yeux et son visage j'ai reculé, comme devant une vision de la nature.

Et j'ai rejeté, abandonné et perdu l'unique cahier de mes poésies enfantines.

Tous sont à la maison. A Pétrograd, siège la Douma d'État. Le journal *Retz*. L'atmosphère est chargée.

Et moi je peins mes tableaux. Maman dirige ma peinture. Elle trouve, par exemple, que dans le tableau « Naissance » il faudrait bander le ventre de la femme accouchée.

Je satisfais immédiatement son désir.

C'était juste ; le corps s'anime.

Bella m'apporte des fleurs bleues, mêlées de verdure. Elle est tout en blanc, gantée de noir. Je fais son portrait.

Une fois comptées toutes les haies de la ville, je peins « La Mort ».

Une fois vérifié le pouls de tous mes familiers, je peins « Le Mariage ».

Mais j'avais le sentiment que si je restais plus longtemps à Witebsk, j'allais me couvrir de poils et de mousse.

Je rôdais dans les rues, je cherchais et priais :

« Dieu, Toi qui te dissimules dans les nuages, ou derrière la maison du cordonnier, fais que se révèle mon âme, âme douloureuse de gamin bégayant, révèle-moi mon chemin. Je ne voudrais pas être pareil à tous les autres ; je veux voir un monde nouveau. »

En réponse, la ville paraît se fendre, comme les cordes d'un violon, et tous les habitants se mettent à marcher au-dessus de la terre, quittant leurs places habituelles. Les personnages familiers s'installent sur les toits et s'y reposent.

Toutes les couleurs se renversent, se réduisent en vin et mes toiles jaillissent de la boisson.

Je suis bien à l'aise avec vous tous. Mais... avez-vous entendu parler des traditions, d'Aix, du peintre à l'oreille coupée, de cubes, de carrés, de Paris ?

Witebsk, je t'abandonne.

Demeurez seuls avec vos harengs !

Je l'avoue, je ne pourrais pas affirmer que Paris m'attirait violemment.

Je n'avais non plus aucun élan lorsque j'avais quitté Witebsk pour Pétersbourg.

Je savais qu'il fallait partir. Il m'était difficile de me préciser à moi-même ce que je voulais.

Trop provincial, si je dois l'avouer ouvertement.

Aimant les déplacements, je ne rêvais pourtant que d'être seul dans une cage.

Je disais souvent, qu'un coin avec, dans la porte, un guichet par où l'on m'aurait passé ma nourriture, m'aurait contenté pour toujours.

C'est dans de tels sentiments que j'ai fait mes voyages à Pétersbourg et, plus tard, à Paris. Mais pour entreprendre ce dernier voyage, l'argent me manquait.

Pour ne pas me perdre parmi les trente mille artistes, venus de tous les pays et de toutes les nations à Paris, je devais avant tout m'assurer le moyen d'y vivre et d'y travailler.

A cette époque je fus présenté à M. Winawer, éminent député à la Douma.

Ne croyez pas que seules les personnalités politiques ou sociales pouvaient l'approcher.

Avec beaucoup de chagrin, je dirai aujourd'hui que j'ai perdu en lui un homme qui me fut très proche, presque un père.

Je me souviens de ses yeux illuminés, de ses sourcils qui s'abaissaient et se relevaient lentement, de la coupe fine de sa bouche, de sa barbe légèrement châtaine, de tout ce noble profil que — toujours timide, hélas ! — je n'ai pas osé peindre.

Malgré la différence entre lui et mon père, qui n'allait qu'à la synagogue, tandis que M. Winawer était élu du peuple, tous deux se ressemblaient quand même quelque peu. Mon père m'a mis au monde et Winawer a fait de moi un peintre.

Sans lui, je serais resté peut-être un photographe, établi à Witebsk et je n'aurais aucune idée de Paris.

Dans mes séjours à Pétersbourg, je n'avais ni autorisation d'y vivre, ni le moindre coin pour y habiter : pas de lit, point d'argent.

Plus d'une fois, j'ai regardé avec envie la lampe à pétrole qui brûlait sur la table.

Voilà, pensai-je, elle brûle à son aise sur la table dans la chambre. Elle boit son pétrole à sa soif et moi ?...

A peine si je me tiens sur la chaise, au bord de la chaise. Et la chaise n'est pas à moi. La chaise sans chambre.

Je n'ose même pas m'asseoir tranquillement. J'ai faim. Je rêve du colis de saucisson reçu par mon camarade.

En général, le pain et le saucisson, je les vis en rêve durant de longues années.

Et, avec cela, une envie de peindre...

Quelque part là-bas, sont assis en m'attendant des rabbins en vert, des paysans dans leurs bains, des Juifs rouges, bons, intelligents, leurs cannes, leurs sacs, dans les rues, dans les maisons et même sur les toits.

Ils m'attendent, je les attends, nous nous attendons.

Mais, par contre, dans les rues veillent les agents au poste de police, les portiers devant les portes, les « passeportistes » dans les commissariats.

En errant par les rues, aux portes des restaurants, je lisais les menus, comme des poèmes — les plats du jour et le prix de chaque plat.

Alors Winawer me logea non loin de son domicile, rue Zacharjewskaja, dans l'appartement occupé par la rédaction de la revue « L'Aube ».

J'ai fait une copie d'un tableau de Léwitan qu'il possédait. Il me plaisait pour son clair de lune. Comme si derrière la toile des bougies avaient brillé.

Je n'ai pas osé faire enlever ce tableau du mur où il avait été accroché, très haut, et je l'ai copié debout sur une chaise.

J'ai porté cette copie chez un encadreur qui faisait aussi des agrandissements.

A ma vive surprise, le patron m'a remis dix roubles.

Passant quelques jours après devant le magasin j'ai aperçu ma copie, bien en valeur dans la vitrine et portant la signature « Léwitan ». Le patron me souriait aimablement et me demandait de lui en faire d'autres.

Un peu plus tard, je lui apportai une pile de mes propres toiles. Peut-être, pensais-je, en vendra-t-il quelques-unes.

Mais le lendemain, quand je vins lui demander s'il n'avait rien vendu, il me répondit d'un air étonné : « Pardon, Monsieur, mais qui êtes-vous ? Je ne vous connais pas. »

Ainsi j'ai perdu une cinquantaine de mes toiles.

Winawer faisait tout pour m'encourager.

Avec M. Syrkine et M. Sew, il rêvait de me voir devenir un second Antokolsky.

Tous les jours, gravissant l'escalier de son appartement, il me souriait et me demandait : « Eh ! bien, ça va ? »

La salle de rédaction était pleine de mes toiles et de mes dessins. Ça n'avait plus rien d'une salle de rédaction ; un atelier plutôt. Mes pensées sur l'art se mêlaient aux voix des rédacteurs, qui venaient discuter et travailler.

Dans les intervalles et à la fin de la séance, ils traversaient mon « atelier », et moi, je me dissimulais derrière les piles d'exemplaires de « L'Aube », qui garnissaient la moitié de la chambre.

Le premier dans ma vie, Winawer m'a acheté deux tableaux.

Avocat, célèbre député, il aime quand même ces pauvres Juifs, qui descendent avec la mariée, le marié et les musiciens du haut de ma toile.

Un jour, tout essoufflé, il accourt chez moi, dans la rédaction-atelier, et me dit :

« Réunissez vite vos meilleures toiles et montez à mon appartement. Un collectionneur a vu chez moi vos tableaux ; il s'y est vivement intéressé. »

Troublé de voir Winawer lui-même venir chez moi, je n'ai rien trouvé de bon.

Une fois, le jour de Pâques, Winawer m'avait convié à sa table.

Le reflet des bougies flamboyantes, leur odeur se mêlant aux ocres sombres du teint de Winawer resplendissaient dans la pièce.

Sa femme, donnant des ordres en souriant, paraissait descendre d'une fresque de Véronèse.

Le repas brillait dans l'attente du prophète Élie.

Et plus tard Winawer me retrouvait toujours et, souriant, s'informait :

« Eh ! bien, ça va ? »

Je n'ose pas lui montrer mes tableaux, de peur qu'ils lui déplaisent. Il disait souvent qu'il était un profane dans l'art.

Mais les profanes sont mes critiques préférés.

En 1910, après avoir choisi deux tableaux, Winawer m'a garanti une subvention mensuelle qui me permettait d'habiter Paris.

Je suis parti.

Au bout de quatre jours, je suis arrivé à Paris.

Seule la grande distance

qui sépare Paris de ma ville natale
m'a retenu d'y revenir immédiatement ou du moins après une semaine, ou un mois.

Je voulais même inventer des vacances quelconques, rien que pour pouvoir revenir.

C'est le Louvre qui mit fin à toutes ces hésitations.

Faisant le tour de la salle ronde de Véronèse

et des salles où sont Manet, Delacroix, Courbet, je ne voulais plus rien d'autre.

Dans mon imagination, la Russie se dessinait comme un papier suspendu à un parachute. La poire aplatie du ballon pendait, se refroidissait et descendait lentement au cours des années.

Tel m'apparut l'art russe, ou je ne sais quoi encore.

En effet, aussi souvent qu'il m'arrivait de penser à l'art russe ou d'en parler, j'éprouvais les mêmes émotions troubles et confuses, pleines d'amertume et de dépit.

C'était comme si l'art russe eût été fatalement condamné à demeurer à la remorque de l'Occident.

Si les peintres russes étaient condamnés à devenir les élèves de l'Occident, ils étaient, je crois, des élèves assez peu fidèles, de par leur nature même. Le meilleur réaliste russe choque le réalisme de Courbet.

L'impressionnisme russe le plus authentique laisse perplexe si on le confronte à Monet et Pissarro.

Ici, au Louvre, devant les toiles de Manet, Millet et d'autres, j'ai compris pourquoi mon alliance avec la Russie et l'art russe ne s'est pas nouée. Pourquoi ma langue, elle-même, leur est étrangère.

Pourquoi on ne me fait pas confiance. Pourquoi les cercles artistiques me méconnaissent.

Pourquoi je ne suis en Russie que la cinquième roue du carrosse.

Et pourquoi tout ce que je fais, leur semble

bizarre et tout ce qu'ils font, eux, me paraît superflu. Pourquoi donc ?

Je ne peux plus en parler.

J'aime la Russie.

A Paris, il me semblait tout découvrir, surtout l'art du métier.

Je m'en persuadais partout, dans les musées et dans les Salons.

Peut-être dans mon âme l'Orient s'était égaré ; ou même la morsure du chien avait-elle retenti sur mon esprit.

Ce n'était pas alors dans le métier seul que je cherchais le sens de l'art.

C'était comme si les dieux s'étaient tenus devant moi.

Je ne voulais plus penser au néo-classicisme de David, d'Ingres, au romantisme de Delacroix et à la reconstruction des premiers plans des disciples de Cézanne et du cubisme.

J'avais l'impression que nous rôdons encore sur la surface de la matière, que nous avons peur de plonger dans le chaos, de briser, de renverser sous nos pieds la surface habituelle.

Dès le lendemain de mon arrivée, je suis allé au Salon des Indépendants.

Le camarade qui m'accompagnait m'avait averti qu'il serait impossible de parcourir tout le

Salon en une seule journée. Lui, par exemple, chaque fois qu'il le visite, il sort de là épuisé. Le plaignant au fond de mon cœur et suivant ma propre méthode, je traversai en courant toutes les salles du début, comme si j'étais poursuivi par un torrent et je m'élançai vers les salles centrales.

Ainsi je réservais mes forces.

Je pénétrai au cœur de la peinture française de 1910.

Je m'y suis accroché.

Aucune académie n'aurait pu me donner tout ce que j'ai découvert en mordant aux expositions de Paris, à ses vitrines, à ses musées.

A commencer par le marché où, faute d'argent, je n'achetais qu'un morceau d'un long concombre, l'ouvrier dans sa salopette bleue, les disciples les plus zélés du cubisme, tout témoignait d'un goût net de mesure, de clarté, d'un sens précis de la forme, d'une peinture plus peinte même dans les toiles des artistes secondaires.

Je ne sais si quelqu'un a pu se faire une idée plus nette que moi de la différence, presque insurmontable qui, jusqu'en 1914, séparait la peinture française de celle des autres pays. Il me semble qu'on s'en doutait fort peu, à l'étranger.

Pour moi, je n'ai pas cessé d'y réfléchir.

Il ne s'agit pas des dispositions, plus ou moins grandes, d'un individu ou d'un peuple.

D'autres forces étaient en cause, plutôt organiques ou psycho-physiques qui prédisposent soit à la musique, soit à la peinture ou à la littérature, soit au sommeil.

Après avoir habité quelque temps un atelier de l'impasse du Maine, je déménageai dans un autre atelier plus en rapport avec mes moyens, à « la Ruche ».

Ainsi nommait-on une centaine d'ateliers entourés d'un petit jardin, tout près des Abattoirs de Vaugirard. Ces ateliers étaient habités par la bohème artistique de tous les pays.

Tandis que dans les ateliers russes sanglotait un modèle offensé ; que chez les Italiens s'élevaient des chants et les sons de la guitare, chez les Juifs des discussions, moi j'étais seul dans mon atelier, devant ma lampe à pétrole. Atelier comblé de tableaux, de toiles qui n'étaient pas d'ailleurs des toiles, mais plutôt mes nappes, mes draps, mes chemises de nuit mis en pièces.

Deux, trois heures du matin. Le ciel est bleu. L'aube se lève. Là-bas, plus loin, on égorgeait le bétail, les vaches mugissaient et je les peignais.

Je veillais ainsi des nuits entières. Voilà déjà une semaine que l'atelier n'a pas été nettoyé. Châssis, coquilles d'œufs, boîtes vides de bouillon à deux sous traînent pêle-mêle.

Ma lampe brûlait, et moi avec elle.

Elle brûlait jusqu'à ce que son éclat durcît dans le bleu du matin.

C'est alors que je grimpais à ma soupente. J'aurais dû descendre dans la rue et acheter à crédit des croissants chauds, mais j'allais me coucher. Plus tard venait la femme de ménage ; je ne savais pas bien si elle venait pour mettre en ordre l'atelier (est-ce indispensable ? au moins, ne touchez pas à ma table !) ou avec l'envie de monter me rejoindre.

Sur les planches, voisinaient des reproductions de Greco, de Cézanne, les restes d'un hareng que je divisais en deux, la tête pour le premier jour, la queue pour le lendemain, et, Dieu merci, des croûtes de pain.

Mais peut-être Cendrars viendra et m'emmènera déjeuner avec lui.

Avant d'entrer dans mon atelier il fallait toujours attendre. C'était pour me donner le temps de me mettre en ordre, de m'habiller, car je travaillais nu. En général, je ne supporte aucun vêtement, je ne tiens pas à m'habiller et m'habille sans aucun goût.

Personne ne m'achète de tableaux. Je ne pensais pas que cela soit même possible.

Une seule fois M. Malpel m'a offert vingt-cinq francs pour un tableau exposé au Salon, au cas où je ne le vendrais pas.

« Mais, parfaitement, à quoi bon attendre. »

Je ne sais pas ce qui est arrivé maintenant : après vingt ans les tableaux se vendent. On dit même qu'un Français authentique, Gustave Coquiot, collectionne mes tableaux.

Il faudrait le voir, le remercier.

Et moi, à la veille de la guerre, j'ai semé au hasard près de quatre cents de mes toiles en Allemagne, en Hollande, à Paris, un peu partout.

Tant pis. Au moins, puisqu'elles ne leur coûtent rien, les gens se donneront la peine de les accrocher au mur.

Une fois à Paris, je suis allé aux ballets de Diaghileff, pour y voir Bakst et Nijinsky. Pendant toute sa vie, Diaghileff n'a jamais su s'il devait m'approcher et de quelle manière.

Pour moi les ballets avaient le même point de départ que le « Myr Iskoustwa », qui avait été d'ailleurs également fondé par Diaghileff. Toutes les découvertes, les trouvailles, « les nouveautés » y étaient filtrées, polies pour parvenir au mondain, à un style joli et piquant.

Et moi, je suis fils d'ouvriers et souvent, dans un salon, par désœuvrement, j'ai envie de souiller les parquets brillants.

A peine la porte des coulisses ouverte, j'aperçus, de loin, Bakst.

Du roux et du rose me souriaient avec bienveillance.

Nijinsky accourt, me secouant par les épaules. Mais déjà il s'élance vers la scène où l'attend Karsawina : on donnait le « Spectre de la Rose ».

Paternellement, Bakst l'arrête.

« Wazia, attends, viens ici. » Et il lui arrange sa large cravate.

D'Annunzio, près de lui, petit, moustaches fines, flirte tendrement avec Ida Rubinstein.

« Vous êtes venu quand même ? » me jette Bakst brusquement.

Je suis confus. Il m'avait pourtant conseillé de ne pas aller à Paris, m'avertissant que j'avais des chances d'y mourir de faim et que je ne devais pas compter sur lui.

Étant encore à Pétersbourg, il m'avait cependant donné cent francs avec l'espoir que je deviendrais son aide-décorateur. Mais, me voyant brosser assez maladroitement les décors, il me plaqua.

Je suis pourtant parti et me voici devant lui. J'ai de la peine à lui parler. Je sais que Bakst est extrêmement nerveux. Moi de même. Je ne me sens pas offensé. Mais quoi ? Devais-je rester en Russie ?

Là-bas, encore gamin, à chaque pas je sentais — on me le faisait sentir ! — que j'étais Juif.

Avais-je affaire à des artistes du groupe des jeunes, on m'accrochait (si même on y consentait) dans le coin le plus reculé, le plus sombre.

Avais-je, sur les conseils de Bakst, envoyé quelques toiles à l'exposition de « Myr Iskoustwa », elles demeuraient tranquillement dans l'appartement d'un des membres, alors que presque tout peintre russe de quelque valeur qu'il soit, était invité à faire partie de la société.

Et je pensais : sûrement c'est parce que je suis Juif et que je n'ai pas de patrie.

Paris ! Il n'y avait pas un mot qui fût plus doux pour moi.

A vrai dire, en ce moment peu m'importait que Bakst vînt me voir, ou non.

Mais c'est lui qui, prenant congé, me dit :

« Je passerai chez vous voir ce que vous faites. »

Un jour il vint.

« Maintenant, m'a-t-il dit, vos couleurs chantent. »

Ce furent les dernières paroles adressées par le professeur Bakst à son ex-élève.

Ce qu'il a vu l'a convaincu, peut-être, que j'ai abandonné mon ghetto et qu'ici, dans « la Ruche », à Paris, en France, en Europe, je suis un homme.

Plus d'une fois dans ma recherche de l'art, j'errai dans la rue Laffitte, contemplant des centaines de Renoir, de Pissarro, de Monet chez Durand-Ruel.

La boutique de Vollard m'attirait particulièrement. Mais je n'osais pas y entrer.

Aux vitrines, sombres, poussiéreuses, rien que des vieux journaux et une petite sculpture de Maillol, comme égarée là. Je cherche des yeux les Cézanne.

Ils sont sur le mur du fond, sans cadres. Je me presse contre la vitre, m'y aplatissant le nez, et tout à coup je me heurte à Vollard, lui-même.

Il est seul au milieu de sa boutique, vêtu d'un pardessus.

J'ai peur d'entrer. Il a l'air maussade. Je n'ose pas.

Mais chez Bernheim, place de la Madeleine, les vitrines sont éclairées comme pour une noce.

Voilà Van Gogh, Gauguin, Matisse.

Regarde, entre et sors à ton gré.

C'est ce que je faisais, une, deux fois par semaine.

C'est au Louvre que je me sentais le plus à l'aise.

Amis disparus depuis longtemps. Leurs prières, les miennes. Leurs toiles éclairent mon visage enfantin.

Rembrandt me captivait, Chardin, Fouquet, Géricault m'arrêtèrent plus d'une fois.

Un camarade de « la Ruche » fabriquait des tableaux et les portait au marché pour les vendre.

Un jour, je lui dis :

« Peut-être, moi aussi, j'arriverais à vendre quelque chose au marché. »

Il peignait des femmes en crinolines en promenade dans un parc. Cela ne me convenait pas, mais un paysage à la Corot, pourquoi pas ?

J'ai pris une photographie, mais plus je m'efforçais de faire du Corot, plus je m'en éloignais et j'ai fini à la Chagall !

Le camarade se moqua de moi. Quelle ne fut pas ma surprise lorsque je retrouvai cette toile, plus tard, dans le salon d'un amateur.

Avec une lettre de Canudo, dans laquelle il me décernait de trop grands éloges, je suis allé présenter à M. Doucet un carton d'une cinquantaine d'aquarelles. J'avais le vague espoir qu'il m'achèterait peut-être quelque chose.

Après un quart d'heure d'attente dans son antichambre, son domestique est venu me rendre mon carton.

« Nous n'avons pas besoin du « meilleur coloriste de notre temps », dit-il, au nom de son maître.

Une autre lettre de recommandation de Canudo pour un metteur en scène de cinéma eut plus de succès.

Un film se préparait où devaient être représentés des artistes peintres.

J'étais l'un d'eux. Tous, nous travaillions dans l'atelier d'un professeur. Je ne sais plus si c'est le professeur ou un de ses élèves qui tombe amoureux du modèle ou même de la cliente.

De l'atelier, le jeu s'est transporté sur une terrasse, située au bord d'un lac, où était dressée une grande table bien garnie. Nous prenons place autour de la table et nous mangeons avec grand plaisir. On nous filmait. J'ai mangé à ma faim.

Ce fut pire ensuite, lorsqu'on nous eut proposé de faire une petite promenade en barque, chaque cavalier avec sa dame.

J'avais pour dame, une jeune fille, assez ennuyeuse, et peu photogénique. En ma qualité d'homme je devais ramer, ce que je ne savais pas du tout faire.

Notre canot est loin du bord. L'opérateur tourne et me crie : « Dirige donc ! » Mais il n'y avait rien à diriger. Tant pis, je ne suis pas l'homme qu'il faut.

La jeune fille était fort en colère.

Mais à la caisse, mon costume sous le bras,

j'ai touché quand même quelques francs pour cette journée de travail.

Je regrette de n'avoir pas vu ce film.

Plus tard, quelqu'un m'a dit qu'il m'avait vu sur l'écran.

A cette époque, rares étaient les expositions particulières ; Matisse et Bonnard étaient à peu près les seuls à en faire. Cette idée ne nous venait même pas à la tête.

Je fréquentais les ateliers et les académies de Montparnasse et, en même temps, je me préparais ardemment pour les Salons.

Mais comment faire porter à travers « la Ruche » et tout Paris mes toiles si voyantes ?

Un brave émigré se chargea de tout, d'autant plus qu'il y avait de quoi rigoler.

En route, ma voiture à bras rencontra celles des autres qui portaient aussi leurs tableaux vers le Salon. Toutes, elles se dirigeaient vers les baraques en bois, près de la place de l'Alma.

C'est là en peu de temps que je vais voir clairement ce qui me distingue de la peinture française traditionnelle.

Enfin, les tableaux sont accrochés. Dans une heure le vernissage. Mais le censeur s'avance vers mes toiles et donne l'ordre d'enlever l'une d'elles : « L'âne et la femme. »

Mon camarade et moi nous tâchons de le persuader :

« Mais, Monsieur, il n'y a rien de ce que vous pensez, aucune pornographie. »

C'est arrangé. On raccroche.

La femme d'un docteur chez qui j'allais quelquefois pour me distraire et me consoler, me dit, comme je me plaignais d'être persécuté même au Salon :

« Oui ? Eh bien, tant mieux, c'est ce que vous méritez ; ne faites donc pas des tableaux pareils ! »

Je n'avais que vingt ans, mais déjà je commençais à avoir peur des gens.

Mais venait le poète Rubiner, venait Cendrars, qui me consolait du seul éclat de ses yeux.

Plus d'une fois, il me conseillait, ayant souci de moi, mais je ne lui obéissais guère, bien qu'il eût raison.

Il me persuadait que je pouvais travailler tranquillement à côté des cubistes orgueilleux, pour qui j'étais peut-être un rien du tout.

Ils ne me gênaient pas. Je les regardais de côté et pensais :

« Qu'ils mangent à leur faim leurs poires carrées sur leurs tables triangulaires ! »

Sans doute, mes premières tendances étaient un peu étranges pour les Français. Et moi je les contemplais avec tant d'amour. C'était pénible.

Mais mon art, pensais-je, est peut-être un art

insensé, un mercure flamboyant, une âme bleue, jaillissant sur mes toiles.

Et je songeais : « A bas le naturalisme, l'impressionnisme et le cubisme réaliste ! »

Ils me rendent triste et contraint.

Toutes les questions — volume, perspective, Cézanne, la plastique nègre — sont ramenées sur le tapis.

Où allons-nous ? Qu'est-ce que cette époque, qui chante des hymnes à l'art technique, qui divinise le formalisme ?

Que notre folie soit la bienvenue !

Un bain expiatoire. Une révolution du fond, non seulement de la surface.

Ne m'appelez pas fantasque ! Au contraire, je suis réaliste. J'aime la terre.

Je me séparais pour un temps des clôtures de ma ville natale et me voici, évadé dans les cercles et les salons de poètes et de peintres français.

Voilà Canudo. Barbiche noire, yeux brûlants.

Tous les vendredis vous rencontrez chez lui Gleizes, Metzinger, de La Fresnaye, Léger, Raynal, Valentine de Saint-Point, accompagnée de ses trois jeunes admirateurs ; Segonzac, professeur de l'académie « La Palette », où j'ai travaillé quelquefois ; Lhote, Luc-Albert Moreau et tant d'autres. Il y faisait doux et chaud.

Delaunay surtout s'agitait. Je le comprenais

peu. Au Salon, ses toiles me frappaient par leurs dimensions. Il les portait triomphalement à l'extrémité du baraquement, en clignant de l'œil, ce qui signifiait : « Eh bien ? »

Canudo m'a accueilli chaleureusement et je ne l'oublierai pas. Il m'a traîné ici et là et même un soir il a organisé, dans son salon, une exposition de mes dessins, les étalant sur les tables, sur les fauteuils, partout.

Une fois, au café, il me dit :

« Votre tête me rappelle celle du Christ. » Et attrapant un journal, il le jette par terre :

« Au diable ! Il n'y a rien de moi là-dedans ! »

Avec vous je m'élance aux abîmes de Montjoie. Comme si des éclats éblouissants rayonnaient autour de vous. Comme si une volée de mouettes blanches, comme si des flocons de taches neigeuses, en files, s'élevaient vers le ciel.

Là, une autre flamme légère et sonore, Blaise, l'ami Cendrars.

Blouse chromée, bas de différentes couleurs. Chutes du soleil, de la misère et des rimes.

Filets de couleurs. De l'art liquide flamboyant.

Fougue des tableaux à peine nés. Têtes, membres disjoints, vaches volantes.

Je me souviens de tout cela, et toi, Cendrars ?

Le premier, il est venu chez moi, à « la Ruche ».

Il me lisait ses poèmes, regardant par la fenêtre ouverte et dans mes yeux souriait à mes toiles et tous deux nous rigolions.

Voici André Salmon. Mais où est-il ?

J'entends prononcer son nom. Son teint clair brille. Je viens de lui serrer la main.

Voici Max Jacob. Il ressemble à un Juif.

Il m'apparaissait ainsi à côté d'Apollinaire.

Un jour, nous sommes allés ensemble déjeuner non loin de « la Ruche ».

Je n'étais pas bien sûr qu'il eût seulement quarante sous dans sa poche. Et lui, croyait-il que j'avais de quoi payer le repas ?

Nous mâchions la salade, la sauce, le sel, tout ce qui commençait par « s ».

Après, nous grimpions lentement chez lui, à Montmartre. Il avait beaucoup de temps libre, et moi encore plus.

Enfin, son appartement, sa cour, son obscur réduit, la porte d'entrée à côté — une vraie courette de Witebsk. Les petits tableaux sont accrochés dans l'entrée, dès le seuil.

De quoi avons-nous parlé ? En quelle langue ?

Je comprenais peu. A vrai dire, j'avais peur.

Ses yeux brillaient et roulaient constamment. Son torse se tiraillait, s'agitait. Soudain, il demeurait tranquille. La bouche, remuant, s'entrouvrait, sifflait. Il riait et ses yeux, son menton, ses bras m'appelaient, me captivaient.

Je me disais : « Si je le suis, il me dévorera tout entier et jettera mes os par la fenêtre. »

Voici la mansarde d'Apollinaire, ce Zeus doux.

En vers, en chiffres, en syllabes courantes, il traçait pour nous un chemin.

Il sortait de sa chambre d'angle, souriait peu à peu de toute sa large face. Son nez s'aiguisait farouchement et ses yeux doux et mystérieux chantaient la volupté.

Il portait son ventre, comme un recueil d'œuvres complètes et ses jambes gesticulaient comme des bras.

Chez lui, on discutait beaucoup.

Dans un coin, un petit bonhomme est assis.

Apollinaire s'approche de lui et le réveille :

« Savez-vous ce qu'il faut faire, monsieur Walden ? Il faut organiser une exposition d'œuvres de ce jeune homme. Vous ne le connaissez pas ?... Monsieur Chagall... »

Un jour, Apollinaire et moi sortons ensemble, pour aller dîner chez Baty, à Montparnasse.

En route, il s'arrête soudain :

« Regardez, voilà Degas. Il traverse la rue. Il est aveugle. »

Seul, les sourcils froncés, l'air maussade, Degas marchait à grands pas, pesant de la main sur sa canne.

En déjeunant, j'ai demandé à Apollinaire pourquoi il ne me présentait pas à Picasso.

« Picasso ? Avez-vous envie de vous suicider ? Tous ses amis finissent ainsi », répondit Apollinaire en souriant comme toujours.

« Quelle faim de loup », pensais-je en le regardant manger.

Peut-être a-t-il besoin de tant manger pour son esprit. Possible que le talent soit de manger. Manger, boire surtout, et le reste viendra peut-être tout seul.

En mangeant, Apollinaire semblait chanter, et les mets résonnaient dans sa bouche.

Le vin sonnait dans son verre, la viande claquait entre ses dents. En même temps, il saluait à droite et à gauche. Des connaissances de tous les côtés.

Oh ! Oh ! Oh ! Ah ! Ah ! Ah !

Et à la moindre pause, il vidait son verre, resplendissant de sa serviette.

Le déjeuner terminé, en chancelant et nous pourléchant les lèvres, nous allâmes à pied, jusqu'à « la Ruche ».

« Vous n'y êtes jamais venu ?

» C'est là que vivent Bohémiens, Italiens, Juifs ; il y a aussi des jeunes filles. Peut-être trouverons-nous Cendrars au café du coin, passage de Dantzig.

» Nous le surprendrons. Il ouvrira sa bouche grande comme deux œufs et, vite, dissimulera dans ses poches des feuillets de vers frais écrits.

» Ce n'est pas loin de l'abattoir, où d'adroits gaillards assomment férocement mes pauvres vaches. »

Je n'ose pas montrer mes toiles à Apollinaire.

« Je sais, vous êtes l'inspirateur du cubisme. Mais, moi, je voudrais autre chose. »

Quoi d'autre ? Je suis gêné.

Nous traversons le sombre corridor où l'eau goutte sans fin, où des monceaux d'ordures sont entassés.

Un palier rond ; une dizaine de portes numérotées.

J'ouvre la mienne.

Apollinaire entre avec prudence comme s'il craignait que tout le bâtiment s'effondre soudain en l'entraînant dans ses ruines.

Personnellement, je ne crois pas que la tendance scientifique soit heureuse pour l'art.

Impressionnisme et cubisme me sont étrangers.

L'art me semble être surtout un état d'âme.

L'âme de tous est sainte, de tous les bipèdes sur tous les points de la terre.

Seul le cœur honnête est libre qui a sa propre logique et sa raison.

L'âme qui est arrivée d'elle-même à ce degré, appelé par les hommes : littérature, illogisme est la plus pure.

Ce n'est pas du vieux réalisme que je parle, ni du symbolisme-romantisme qui a apporté peu de choses ; ce n'est pas non plus de mythologie, ni de fantaisie quelconque, mais de quoi, mon Dieu ?

Vous direz, ces écoles ne sont qu'un bagage formel.

L'art primitif possédait déjà la perfection

technique, vers laquelle les générations actuelles s'efforcent, jonglant et tombant même dans la stylisation.

Je compare ce bagage formel au Pape de Rome, somptueusement vêtu à côté du Christ tout nu ou à l'église décorative près de la prière en plein champ.

Apollinaire s'assied. Il rougit, enfle, sourit et murmure : « Surnaturel !... »

Le lendemain, je recevais une lettre, un poème dédié à moi : « Rodztag ».

Comme une pluie battante, le sens de vos paroles nous frappe.

Sûrement, vous rêvez aujourd'hui d'aquarelles, de la nouvelle surface de la peinture, des poètes au destin outragé, de nous tous, dont jadis vous avez dit un mot.

A-t-il passé, est-il flétri, ou demeure-t-il encore avec, sur sa face mortelle, son sourire éclatant ?

Et mes jours se traînent sur la place de la Concorde, ou près du jardin du Luxembourg.

Je regarde Danton et Watteau, j'arrache des feuilles.

Oh ! si je réussissais, à cheval sur la chimère en pierre de Notre-Dame, avec mes bras et mes jambes, à tracer mon chemin dans le ciel !

Le voilà ! Paris, tu es mon second Witebsk !

Je disais souvent : je ne suis pas artiste. Eh ! bien, une vache, quoi ?

Qu'importe ? J'ai même pensé à mettre mon image sur ma carte de visite.

Il paraît qu'en ce temps-là, c'était la vache qui faisait la politique mondiale.

Le cubisme la hachait, l'expressionnisme la tortillait.

Et soudain à l'est, ces pressentiments se sont réalisés.

J'ai bien vu de mes yeux comment les tableaux de Derain, de Juan Gris et des autres se sont crispés dans la galerie Kahnweiler. Les couleurs s'en détachaient.

Il semblait que j'emportais avec moi à Berlin, où je suis allé voir mon exposition, les premiers éléments de l'époque orageuse.

Dans deux petites pièces de la rédaction de la revue « Sturm », mes toiles, sans cadres, étaient étroitement accrochées ; une centaine de mes aquarelles s'étalait simplement sur les tables.

Mes tableaux enflaient dans la Potsdamer-strasse, tandis que tout près on chargeait les canons.

Que faire, si les événements universels ne nous apparaissent que derrière la toile, à travers de la couleur, du matériel, s'épaississant et vibrant, comme les gaz méphitiques ?

L'Europe commence la guerre. Picasso, fini le cubisme.

Qu'importe la Serbie ! Attaquer tous ces paysans déchaussés !

Enflammez la Russie et nous tous avec elle...

Étant à Berlin, je ne sentais pas qu'avant un mois allait commencer cette sanglante comédie, à cause de quoi toute la terre, et Chagall avec, se métamorphoserait en un nouveau plateau théâtral sur lequel d'immenses représentations de masses se dérouleraient.

Aucun pressentiment ne me troublait assez pour m'empêcher d'entreprendre un voyage en Russie.

J'avais envie d'y aller pour trois mois ; je voulais, d'une part assister au mariage de ma sœur, d'autre part « la » revoir.

Ce quatrième et dernier roman faillit s'évaporer pendant ces quatre ans de ma vie à l'étranger. A la fin de mon séjour à Paris, il n'en restait qu'une liasse de lettres. Encore une année de plus, et tout serait, peut-être, fini entre nous.

Après un court séjour à Berlin, je suis parti pour la Russie.

A peine arrivé à Vilna, j'ai dit à une Française, ma compagne de voyage :

« Regarde, la voilà, cette Russie. » D'autant plus que le porteur fut près de disparaître avec tous mes bagages.

Le tzar avait bien voulu visiter Odessa et recevait des délégations à la gare. Impossible de sortir.

Je me suis rappelé comme on nous conduisait, élèves des écoles, à proximité de la ville afin de saluer le tzar, arrivé à Witebsk pour passer la revue des régiments prêts à entrer en campagne (russo-japonaise).

Nous nous mettions en route bien avant l'aube.

Des nuées de gosses, excités et somnolents, se croisaient en chemin, se dirigeant en longues files vers les champs couverts de neige.

Nous nous rangions le long de la chaussée.

Ainsi, les pieds dans la neige, nous attendîmes longtemps l'arrivée du convoi impérial.

Dans la crainte d'un attentat, le train s'était arrêté en pleins champs.

Enfin, de loin, le tzar apparut, très pâle, en tenue de simple soldat.

Chacun de nous aurait voulu le voir de plus près, mais entassés comme des moutons, il ne nous était guère possible de bouger.

Soudain, un petit gars s'échappe des rangées

d'écoliers. Il s'avance vers le tzar, tenant une pétition au-dessus de sa tête.

Aussitôt, Nicolas était enveloppé d'un nuage de princes, de ministres, de généraux, brillant dans leur tenue de gala. De grande taille, robustes, cheveux blancs ou chauves, poitrines enflées de médailles, sévères ou souriants, ils suivaient le tzar à cheval ou à pied.

Il neigeait doucement. Dans le lointain et tout près résonnaient les hourras poussés par des milliers de soldats. L'air gelé absorbait l'hymne national, le transformant parfois en sons plaintifs. La musique jouait sans cesse en même temps dans plusieurs endroits.

Couvert de neige, le tzar marchait à la tête de l'armée, saluant légèrement.

L'un après l'autre, les régiments défilaient devant lui et partaient pour le front.

« Mais que cette ville est donc charcutière ! Et nous, nous voilà retenus dans cette gare ! » dis-je à ma compagne.

« Pauvres, surtout toi...

» Mais ne t'en fais pas, je t'installerai dans le wagon. Et tu arriveras à Tzarskoyé chez ton sénateur, où tu seras gouvernante. »

Était-ce déjà la Russie ?

Je ne l'ai même pas bien connue, la Russie.

L'avais-je vue ? Où sont Novgorod, Rostow, Kiew ?

Où, où sont-ils ?

Moi, je n'ai vu que Pétrograd, Moscou, le petit faubourg de Lyozno et Witebsk.

Ce dernier est un pays bien à part ; une ville singulière, ville malheureuse, ville ennuyeuse.

Une ville pleine de jeunes filles que, faute de temps ou d'esprit, je n'ai même pas approchées.

Des dizaines, des centaines de synagogues, des boucheries, des passants.

Était-ce donc la Russie ?

Ce n'est que ma ville, la mienne, que j'ai retrouvée.

J'y reviens avec émotion.

C'est en ce temps-là que j'ai peint ma série de Witebsk de 1914. Je peignais tout ce qui me tombait sous les yeux. Je peignais à ma fenêtre, jamais je ne me promenais dans la rue avec ma boîte de couleurs.

Je me contentais d'une haie, d'un poteau, d'un plancher, d'une chaise.

Voici : à table, devant le samovar, adossé à sa chaise, se penche un humble vieillard.

Je l'interroge des yeux : « Qui êtes-vous ?

— Comment, vous ne me connaissez pas ? Vous n'avez jamais entendu parler du prêcheur de Slouzk ?

— Alors, écoutez ; en ce cas, passez, je vous prie, chez moi. Je ferai de vous... Comment dirai-je ?... »

Comment lui expliquer ? J'ai peur qu'il ne se lève et ne s'en aille.

Il est venu, s'est assis sur une chaise et s'est endormi aussitôt.

Avez-vous vu le vieillard en vert, que j'ai peint ? C'est lui.

Un autre vieillard passe devant notre maison. Cheveux gris, air maussade. Un sac sur le dos.

Je me demande : est-il même capable d'ouvrir la bouche pour implorer l'aumône ?

En effet, il ne parle pas. Il entre et se tient discrètement à la porte. Ainsi demeure-t-il longtemps. Et si on ne lui donne rien, il sort, comme il est venu, sans mot dire.

« Écoutez, — lui dis-je — reposez-vous un peu. Asseyez-vous. Comme ça. Cela vous est égal, n'est-ce pas ? Vous vous reposerez. Je vous donnerai vingt kopeks. Mettez seulement l'habit de prières de mon père et asseyez-vous. »

Vous avez vu chez moi ce vieillard en prières ? C'est lui.

C'était bien, lorsqu'on pouvait travailler tranquillement. Parfois se tenait devant moi une figure si tragique et si vieille, qu'elle avait plutôt l'air d'un ange.

Mais je ne pouvais pas y tenir plus d'une demi-heure... Elle puait trop.

« C'est fini, Monsieur, vous pouvez vous en aller. »

Vous avez vu mon vieillard lisant ? C'est lui.

Je peignais, je peignais et, finalement, bien que j'aie fait des difficultés, je me suis trouvé, un soir pluvieux, au-dessous d'une couronne nuptiale, tout ce qu'il y a d'authentique, comme sur mes tableaux. On m'a béni, ainsi qu'il convenait.

Mais une longue comédie a précédé cette cérémonie. La voici.

Aux parents et à toute la nombreuse famille de ma, oui... oui... de ma femme, mon origine ne plaisait pas.

Comment donc ? Mon père, un simple commis. Mon grand-père...

Et eux, — pensez donc, ils possédaient dans notre ville trois magasins de bijouterie. Dans leurs vitrines, brillaient et étincelaient de feux multicolores des bagues, des épingles et des bracelets. Partout sonnaient les pendules et les réveils.

Habitué aux autres intérieurs, celui-là me semblait fantastique.

Chez eux, trois fois par semaine, on apprêtait des gâteaux énormes aux pommes, au fromage, au pavot, à la vue desquels je me serais évanoui.

Et on servait, au petit déjeuner, des plateaux de ces gâteaux, dont chacun se régalait, comme saisi d'une fureur, d'un délire de gourmandise. Et chez nous, à la maison, une simple nature morte à la Chardin.

Leur père se régalait de raisin, comme le mien d'oignon ; et la volaille, qu'on ne sacrifiait chez nous qu'une fois par an, la veille du Grand Pardon, ne quittait pas leur table.

Son grand-père, un vieillard blanc à longue barbe, rôde dans l'appartement, cherche des livres russes, des passeports russes et tout ce qui lui tombe sous les yeux, il le jette dans le poêle, il le brûle.

Il ne supporte pas que ses petits-fils fréquentent les écoles russes.

Inutile, inutile !

Tous au chéder, pour devenir des rabbins !

Lui-même ne fait rien que prier toute la journée.

Et le jour du Grand Pardon il est tout à fait en délire.

Mais il est déjà trop vieux pour jeûner.

Le grand rabbin lui-même l'a autorisé à prendre pendant le jour du Jeûne quelques gouttes de lait.

Ma femme lui tend la cuillère.

Il est baigné de larmes, ses pleurs tombent sur sa barbe, dans le lait.

Il est désespéré. La cuillère, tremblante, mouille à peine sa bouche le jour du Jeûne.

Je n'ai plus de force pour en parler. La tête me tourne.

La mère de ma fiancée disait à sa fille :

« Écoute, il me semble qu'il se met même du rouge aux joues. Quel mari fera-t-il, ce garçon rose comme une jeune fille ? Il ne saura jamais gagner sa vie. »

Mais que faire si elle le veut ainsi. Impossible de la convaincre.

« Tu périras, ma fille, avec lui ; tu périras pour rien.

» De plus, il est artiste. Qu'est-ce que c'est ?

» Et que dira le monde ?... »

Ainsi discutait, à propos de moi, la maison de ma fiancée et elle, matin et soir, portait dans mon atelier de doux gâteaux de sa maison, du poisson grillé, du lait bouilli, diverses étoffes décoratives, même des planches qui me servaient de chevalet.

J'ouvrais seulement la fenêtre de ma chambre et l'air bleu, l'amour et les fleurs pénétraient avec elle.

Toute vêtue de blanc ou tout en noir, elle survole depuis longtemps à travers mes toiles, guidant mon art.

Je n'achève ni tableau, ni gravure sans lui demander son « oui ou non ».

Que m'importent donc ses parents, ses frères. Que Dieu les garde !

Mon pauvre père.

« Allons, papa, lui dis-je, à mon mariage ! »

Lui, ainsi que moi, aurait préféré aller se coucher.

Valait-il la peine de se lier à des gens de si haute classe ?

Arrivés avec grand retard à la maison de ma fiancée, j'y trouvai déjà réuni tout un synhédrion.

Dommage que je ne sois pas Véronèse.

Autour de la longue table, le grand rabbin, vieillard sage, un peu rusé, de gros bourgeois d'imposante allure, toute une pléiade d'humbles Juifs, dont les intestins se crispaient dans l'attente de mon arrivée et... du dîner. Car sans moi aucun dîner n'aurait lieu. Je le savais et m'amusais de leur excitation.

Que ce soir soit le plus important dans ma vie, que tout à l'heure, sans musique, sur le fond jaune du mur, sans les étoiles et sans le ciel, sous un baldaquin rouge, on me marie, qu'importe à ces goulus !

Et moi, comme cette heure solennelle, je pâlissais au milieu de la foule.

Assis, debout, allaient et revenaient les parents, les amis, les connaissances, les domestiques.

Dans leurs seins mûrissaient déjà larmes, sourires, confetti. Tout ce qu'il convient de répandre sur le fiancé.

On m'attendait et, en attendant, on parlotait.

Ils étaient confus de reconnaître que « lui » était un artiste.

« D'ailleurs, il paraît qu'il est déjà célèbre...

Et il reçoit même de l'argent pour ses tableaux. Le savez-vous ?

— Quand même ce n'est pas un gagne-pain, soupire un autre.

— Que dites-vous ? Et la gloire et l'honneur !

— Mais, qui est donc son père ? s'informe un troisième.

— Ah ! je sais. » On se taisait.

Il me semblait que si on m'avait mis au cercueil, mes traits auraient été plus souples, moins rigides que ce masque qui s'assit à côté de ma future femme.

Combien je regrettais cette timidité stupide, qui m'empêchait de toucher à cette montagne de raisin, de fruits, de plats innombrables et savoureux, qui décoraient la grande table de noce.

Au bout d'une demi-heure (que dis-je, bien avant, le synhédrion était pressé) sur nos têtes, encadrées du baldaquin rouge, coulaient les bénédictions, le vin ou peut-être les malédictions.

J'en perdais l'esprit. On tournait autour de moi.

Émų, je pressais les mains fines et osseuses de ma femme. J'avais envie de m'enfuir avec elle à la campagne, de l'embrasser et d'éclater de rire.

Mais après la bénédiction nuptiale, mes beaux-frères me conduisirent à mon domicile, tandis que leur sœur, ma femme, restait chez ses parents.

C'était le comble de la perfection rituelle.

Enfin, seuls à la campagne.

Bois, sapins, solitude. La lune derrière la forêt. Le cochon dans l'étable, le cheval derrière la fenêtre, dans les champs. Le ciel lilas.

Ce fut non seulement une lune de miel, mais encore une lune de lait.

Non loin de nous paissait un troupeau de vaches appartenant à l'armée. Tous les matins, les soldats vendaient des seaux pleins de lait pour quelques kopeks.

Ma femme, qui avait été nourrie surtout de gâteaux, n'en faisait boire qu'à moi. Si bien qu'à l'automne, je boutonnais avec peine mes habits.

Aux approches de midi, notre chambre avait l'air d'un panneau génial des grands salons de Paris.

J'étais vainqueur. Je poursuivais une souris qui sautait triomphalement sur mon chevalet. Ma femme pensait alors :

« Il est donc capable de tuer quelque chose. »

Mais la guerre grondait sur moi. Et l'Europe se ferma à mes yeux.

Je tâte dans mes poches mon certificat de Paris et je me hâte vers le gouverneur de la ville, pour lui demander de me laisser partir.

Triste, je ressors avec mes papiers scellés, cachetés.

Il me semblait que j'étais couvert de barbe, de poils, que j'étais tout nu.

Mon Paris !

Que comprend le gouverneur à la peinture !

Trains bondés de soldats. Visages larges, aux grosses pommettes, gris et poussiéreux.

Ils se cramponnaient et grimpaient sur les marches, sur les toits des wagons.

On s'en allait à Sebez, à Mohileff, on avançait plus près du front.

Pourquoi ne m'appelle-t-on pas ?

Il me faut encore attendre mon tour.

Et là-bas, que ferai-je ? Regarder les champs, les arbres, le ciel, les nuages, le sang et les intestins humains ?

Il me semblait qu'on ne voulait même pas de moi. Je ne suis pas sérieux, je ne suis bon à rien, je n'ai même pas de chair. Des couleurs, quoi, du rose sur les joues, du bleu dans les yeux, tout ça ne fait pas un soldat.

Des militaires, moujiks en bonnets de laine, chaussés de laptis, passent devant moi. Ils mangent, ils puent. L'odeur du front, l'haleine forte des harengs, du tabac, des puces.

J'entends, je sens les combats, la canonnade, les soldats enterrés dans les tranchées.

Les premiers prisonniers arrivent.

Voici un gros Allemand d'une carrure athlétique, avec une barbe de plusieurs mois ; il est maussade et somnolent.

Si ce n'était pas la guerre, je l'aurais abordé et lui aurais demandé des nouvelles de Walden, de mes tableaux, emprisonnés en Allemagne.

Un autre blessé me regarde d'un air de reproche. Il est pâle, il est vieux et maigre, comme mon grand-père barbu.

Que faire ? En attendant,

il fallait me fixer quelque part.

A Pétrograd, peut-être?

A vrai dire, je n'avais pas envie d'y aller.

A la campagne, où nous passions, l'été, habitait aussi le grand rabbin Schnéersohn.

Les habitants de tous les environs venaient le consulter. Chacun avec ses peines.

Les uns voulaient éviter le service militaire et venaient lui demander conseil. Les autres, chagrins de n'avoir point d'enfants, imploraient sa bénédiction. Certains, embarrassés d'un passage du

Talmud, sollicitaient des explications. Ou bien on venait simplement le voir, tenter de l'approcher. Que sais-je ?

Mais, certainement, sur les listes de ses visiteurs, ne s'était jamais inscrit un artiste.

Mon Dieu ! Confus, mais embarrassé du choix de mon domicile, je me suis risqué à aller, moi aussi, demander conseil à ce savant rabbin. (Je me suis souvenu des chansons de rabbins chantées par ma mère, les soirs de sabbat.)

Était-il tout de bon un saint ?

L'été, il habitait cette campagne et sa maison rappelait une vieille synagogue, entourée des entresols, des annexes pour sa suite et son personnel.

Aux jours de réception, son antichambre était pleine de gens.

On s'écrasait au milieu du bruit, des parlotes.

Mais contre un bon pourboire on s'avançait plus facilement.

Le portier me fait savoir qu'avec les simples mortels le rabi ne s'entretient pas beaucoup. Il faut tout demander par écrit et lui remettre la note dès qu'on passe le seuil de sa porte.

Point d'explications.

Enfin, mon tour venu, la porte s'ouvre devant moi et, poussé par cette fourmilière d'hommes, je me trouve dans un vaste salon vert.

Un carré, presque vide, silencieux.

Au fond, une longue table encombrée de notes,

de feuillets, de requêtes, de prières, de monnaies. Le rabi seul est assis.

Une bougie flamboie. Il parcourt la note. Son regard.

« Ainsi, tu voudrais aller à Pétrograd, mon fils ? Tu trouves que vous y serez bien. Soit, mon fils, je te bénis. Vas-y.

— Mais, rabi, dis-je, j'aimerais mieux rester à Witebsk. Là, vous savez, habitent mes parents et ceux de ma femme, là...

— Eh ! bien, mon fils, puisque tu préfères Witebsk, je te bénis, vas-y. »

J'aurais voulu m'entretenir plus longtemps avec lui.

Tant de questions brûlaient ma langue.

Je voulais lui parler de l'art en général, et du mien en particulier. Peut-être m'insufflerait-il un peu d'esprit divin. Sait-on ?

Et lui demander si le peuple israélite est bien l'élu de Dieu, comme il est écrit dans la Bible. Et savoir, en outre, ce qu'il pensait du Christ, dont la blonde figure depuis longtemps me troublait.

Sans me retourner, j'ai gagné la porte et je suis sorti.

J'ai couru vers ma femme. Il faisait clair de lune. Les chiens aboyaient. Et il n'y avait rien de meilleur que...

Mon Dieu ! Quel rabi es-tu, rabi Schnéersohn !

Depuis lors quels que soient les conseils que je reçois, je fais exactement le contraire.

J'aurais pu rester tout simplement dans ce village où j'aurais suivi au hasard ce même rabi, qui rentrait dans sa capitale, dans le petit faubourg Lubawitchy.

Mais la guerre et l'appel de ma classe...

Que faire ? Ma femme préférait les grandes villes. Elle aime la culture. Elle a raison.

N'a-t-elle pas assez d'ennuis avec moi ?

Je ne comprendrai jamais pourquoi tous les hommes s'entassent aux mêmes endroits, quand, hors des villes, des dizaines de milliers de kilomètres d'espace s'étendent à droite et à gauche.

Je me contenterais d'un trou quelconque, d'un coin retiré. J'y serais si bien.

Je m'assiérais dans une synagogue et je regarderais. Tout simplement. Ou sur un banc, au bord d'un fleuve, ou bien je ferais des visites.

Et je peindrais, peindrais des tableaux qui, peut-être, surprendraient le monde entier.

Non.

Un beau soir (c'est toujours un beau soir), un soir pluvieux, je grimpe à mon tour dans un wagon grouillant de soldats, qui se battent et s'injurient pour acquérir une place.

J'ai peine à me tenir sur les marches. Le train démarre. Je me presse contre un dos, accroché aux épaules d'un autre soldat. Le train roule.

Les veinards, qui sont au fond, gonflent leurs torses et donnent des conseils.

« Donne-lui (c'est de moi qu'il s'agit) une gifle et c'est tout. »

Il suffirait d'une poussée de leurs dos chargés de ballots pour que je file, comme une flèche sur les rails, dans les champs sombres et neigeux.

Je serre plus fort les rampes, mes mains gèlent. Je vole, et le train vole avec moi.

Mon pardessus se gonfle au vent, comme un parachute et claque de froid.

Ainsi j'arrive à Pétrograd. A quoi bon ?

Là était le havre de grâce que me réservait la guerre — un bureau militaire. J'y ai barbouillé du papier.

Mon chef m'y faisait la guerre.

Étant mon beau-frère, il craignait toujours qu'on lui reprochât mon inaptitude, aussi me surveillait-il particulièrement.

S'avançant vers moi, il me demandait quelque renseignement. Hélas ! comme je ne pouvais presque jamais le lui fournir, il éparpillait tous mes papiers et criait, hors de soi :

« Alors, quel ordre avez-vous ? Qu'est-ce que vous avez fait ? Est-il possible, Marc Zacharowitch, que vous ne sachiez même pas ça. C'est pourtant une bagatelle !... »

A le voir ainsi en colère, les yeux, les joues en flamme, je le prenais en pitié.

A part moi, je souriais.

Pourtant il a fini par m'inculquer un nouveau talent : dès lors je sus, tant bien que mal, me débrouiller au milieu de mes registres, ceux des *entrants*, ceux des *sortants*. Je cuisinais même des rapports.

A côté de mon bureau militaire le front m'apparaissait comme une promenade, comme des exercices en plein air.

Triste, vers le soir je rentrais chez moi.

J'avais presque envie de pleurer.

Je racontais mes supplices à ma femme. Silencieusement, elle souffrait.

J'étais content quand, certains soirs, je pouvais au moins faire un peu de peinture et en bavarder avec mon ami le docteur-écrivain Baal-Machschowess-Eljacheff.

Son amitié m'était une joie, surtout à cette époque.

Nous nous sommes connus dans la maison du collectionneur Kagan-Chabchaj, où l'on discutait d'art passionnément.

C'est ce collectionneur qui, un des premiers, m'a acheté plusieurs tableaux, pour fonder un musée national.

Tous les soirs, nous sortions avec Eljacheff ; en parcourant dans la nuit les petites ruelles de Moscou, il dispersait devant moi les éclats de son éloquence.

Lorsqu'il se tournait brusquement vers moi, dans l'obscurité ses lunettes brillaient.

Ses petites moustaches noires, son regard pénétrant et aigu fixaient mes yeux.

A la fois sceptique et bienveillant, il écoutait, parlait, discutait, agitant les bras, boitant légèrement.

Nous nous sommes liés.

Et s'il m'arrivait de rester à coucher chez lui, il ne cessait de parler jusqu'au matin, à la faible lueur de la veilleuse, installée près de mon lit. Il me parlait des écrivains, de la guerre, de la vie en général, de l'art, de la révolution, de son neveu, commissaire du peuple et, plus particulièrement, de sa femme qui l'avait quitté.

Il l'avait rencontrée toute jeune. Elle était d'une beauté rare. Yeux noirs, teint mat, grande et svelte, elle se taisait, comme si elle était figée.

Ni les écrits, ni l'amour de mon ami ne la touchaient. Indifférente, elle acceptait froidement ses faveurs. Et un beau jour, elle l'a abandonné, s'en allant avec un autre.

« Forcément, me disait mon ami, vous comprenez, elle a besoin d'un homme qui la satisfasse complètement. Regardez-moi donc : un côté paralysé et quand je parle, je bave. »

Dans la matinée, il attendait les malades. En vain.

Alors il se mettait à écrire.

Plus d'une fois, dans ces années de famine et de froid, il partageait avec nous sa ration de viande de cheval. Nous nous en régalions dans sa cuisine.

Son fils jouait à côté. Son père l'élevait comme il pouvait.

Un verre de thé entre ses mains tremblantes, il parlait, parlait. Son thé se renverse ; il est froid depuis longtemps. Je bois le mien et lui, parlant toujours, ajuste ses lunettes qui ont failli tomber dans son thé refroidi entre ses mains gelées.

Je montrais aussi mes tableaux à un autre ami, le vénérable Syrkine.

Pour arriver à voir quelque chose, lui si myope, il s'armait d'une double jumelle et en vous rencontrant, il se heurtait à vous.

Il me défendait avec amour.

Où êtes-vous aujourd'hui ?

Les Allemands remportaient

leurs premières victoires. Les gaz méphitiques m'étouffaient même au Lyteiny prospect 46, siège de mon bureau militaire.

Ma peinture s'émoussait.

Un soir, très sombre, je sortis seul. Personne dans la rue. Les cailloux de la chaussée se dessinaient distinctement.

Il paraît qu'il y a un pogrom dans le centre.

Une bande de coquins s'est révoltée.

En capotes militaires, épaules arrachées, boutons décousus, cette bande suspecte rôdait dans les rues, s'amusant à précipiter les passants à l'eau, du haut du pont. On entendait la fusillade.

J'étais curieux de voir ce pogrom de près.

J'avance doucement. Les lanternes sont éteintes. J'ai la frousse, surtout devant les vitrines de boucheries. On y voit des veaux encore vivants, couchés auprès des hachettes et des couteaux du boucher. Enfermés pour leur dernière nuit, ils mugissent pitoyablement.

Tout d'un coup, d'un coin, apparaît une bande de quatre à cinq pillards, armés de la tête aux pieds.

A peine m'ont-ils distingué qu'ils me demandent :

« Juif ou non ? »

Un instant, j'hésite. Il fait sombre.

Mes poches sont vides, mes doigts tendres, mes jambes faibles et ils ont soif de sang.

Ma mort sera inutile. Je voulais tant vivre.

« Eh ! bien, va-t'en ! » s'écrient-ils.

Sans attendre davantage, je me hâtai vers le centre où le pogrom était déchaîné.

Des coups de fusils. Des corps tombent dans l'eau.

Je m'enfuis chez moi.

J'ai prié : « Guillaume, contente-toi de Varsovie, de Kowno, n'entre pas à Dwinsk ! Et, surtout, ne touche pas Witebsk ! Là, j'y suis et je peins mes tableaux. »

Mais pour la chance de Guillaume, les Russes se battaient mal. Quoique combattant furieusement ils ne pouvaient repousser leur ennemi. Les nôtres ne sont excellents que dans l'assaut.

Chaque échec de l'armée était pour son chef, le grand-duc Nicolas Nicolaëwitch, prétexte à accuser les Juifs.

« Expédiez-les tous dans les vingt-quatre heures. Ou faites-les fusiller. Ou l'un et l'autre à la fois ! »

L'armée s'avançait, et à mesure la population juive s'éloignait, abandonnant les villes et les petits faubourgs.

J'avais envie de les faire transporter sur mes toiles, pour les mettre en sûreté.

Les poings menaçaient le ciel.

Les soldats fuyaient le front. La guerre, les munitions, les puces, tout est abandonné dans les tranchées.

Saisis de panique, les soldats brisaient les vitres des wagons, prenaient d'assaut les trains détruits et, entassés comme des harengs ils filaient vers les villes, vers les capitales.

La liberté rugissait dans leurs bouches. Les jurons sifflaient.

Je ne reste pas non plus sur place. Je lâche le bureau, l'encrier et tous les papiers enregistrés. Adieu !

Moi aussi, avec les autres, je quitte le front.

La liberté et la fin de la guerre.

Liberté. Liberté de tout.

Et elle éclate, la révolution de février.

Mon premier sentiment — c'est que je n'aurai plus affaire avec le « passeportiste ».

Le régiment de Volunsky s'est révolté le premier.

J'ai couru à la place de Znamensky, de là au Liteynay, au Newsky et de retour.

Partout la fusillade. Les canons s'apprêtaient. On rangeait les armes.

« Vive la Douma ! Vive le gouvernement provisoire ! »

Les artilleurs votaient pour le peuple.

Leurs canons attelés, ils se mettaient en route. Les autres corps, l'un après l'autre, prêtent serment. Après eux les officiers, les matelots.

Devant la Douma retentit la voix foudroyante du président Rodzianko :

« Noubliez pas, mes frères, que l'ennemi est encore à nos portes. Jurez ! Jurez !

— Jurons ! Hourra ! »

On en était enroué.

Quelque chose allait naître.

Je vivais comme dans un évanouissement.

Je n'ai même pas entendu Kerensky. Il était à l'apogée de sa gloire. La main sur la poitrine, comme Napoléon, le regard aussi. Il couche dans le lit impérial.

Au ministère K.-d. succède celui des demidémocrates. Après eux, les démocrates. On s'unissait. Échec.

Ensuite, le général Korniloff voulut sauver la Russie. Les déserteurs attaquaient tous les réseaux de chemin de fer.

« Rentrons dans nos foyers ! »

C'était au mois de juin. Les « es-er » étaient en vogue. Tchernoff faisait, au cirque, des discours.

« Assemblée constituante, assemblée constituante ! »

Sur la place de Znamensky, devant le grand monument d'Alexandre III, on commençait à chuchoter :

« Lénine est arrivé.

— Qui est-ce ?

— Lénine de Genève ?

— Lui-même.

— Il est ici.

— Pas possible ?

— A bas ! Chassez-le ! Vive le gouvernement provisoire ! Tout le pouvoir à l'assemblée constituante !

— Est-ce vrai qu'il est arrivé d'Allemagne dans un wagon plombé ? »

Au théâtre Michaïlowsky, les acteurs, les peintres se sont réunis. Ils ont l'intention de fonder un ministère des Arts.

J'y assiste en spectateur.

Soudain, parmi les noms proposés pour le ministère, de la part des jeunes, j'entends prononcer le mien.

Je quitte Pétrograd et regagne mon Witebsk. A devenir ministre, je préfère encore ma ville natale.

En me voyant délaisser la peinture, ma femme pleurait. Elle m'avertissait que tout s'achèverait par des injures, par des affronts.

Il en fut ainsi.

Malheureusement, elle a toujours raison.

Quand donc apprendrai-je enfin à lui obéir ?

La Russie se couvrait

de glaces.

Lénine l'a renversée sens dessus dessous, comme moi je retourne mes tableaux.

Madame Kchessinsky est partie. Lénine tient un discours du haut de son balcon.

Tous sont là. Déjà rougissaient les lettres R. S. F. S. R. Les usines s'arrêtaient.

Les horizons se dévoilaient.

De l'espace et du vide.

Plus de pain. Les caractères noirs sur les affiches matinales égorgeaient mon cœur.

Coup d'État, Lénine, président du Sownar-

kom. Lounatcharsky, président du Narkompross.

Trotsky est aussi là. Zinowieff de même. Uritzky garde les entrées de l'assemblée constituante.

Tous sont là et moi... à Witebsk.

Je peux me passer de manger pendant plusieurs

jours et rester assis près d'un moulin à regarder le pont, les mendiants, les malheureux, chargés de fardeaux.

Je peux m'attarder devant les établissements de bain et voir sortir les soldats et leurs femmes avec les verges de bouleau dans les mains.

Je peux rôder au bord du fleuve, près du cimetière...

Je peux t'oublier, Wladimir Ilyitch, toi, Lénine, ainsi que Trotsky...

Et à la place de tout cela, au lieu de demeurer en paix à peindre mes tableaux, j'ai fondé une École des Beaux-Arts et je suis devenu son directeur, son président et tout ce que vous voulez.

« Quel bonheur ! »

« Quelle folie ! » pensait ma femme.

Le narkom, Lounatcharsky, souriant, me reçoit au Kremlin dans son cabinet.

Je l'ai rencontré une fois à Paris, un peu avant la guerre. Il était journaliste. Il est venu dans mon atelier, à « la Ruche ».

Lunettes, petite barbiche, masque de faune.

Il est venu voir mes tableaux pour faire un article dans un journal.

J'ai entendu dire qu'il est marxiste. Mais ma connaissance du marxisme se bornait à savoir que

Marx était juif et qu'il avait une longue barbe blanche. Or, je me rendais compte que mon art sans doute ne se mariait pas avec lui.

Je disais à Lounatcharsky :

« Surtout, ne me demandez pas pourquoi j'ai peint en bleu ou en vert et pourquoi un veau se voit dans le ventre de la vache, etc. D'ailleurs, je le veux bien : que Marx, s'il est si sage ressuscite et vous explique. »

Je lui montrais mes toiles, les faisant défiler à toute vitesse.

Il souriait, et silencieusement prenait des notes sur son carnet.

J'ai le sentiment qu'il a gardé de cette visite, et pour toujours, un mauvais souvenir.

Et voilà ; maintenant il me confirme solennellement dans mes nouvelles fonctions.

Je rentre à Witebsk à la veille du premier anniversaire de la révolution d'octobre.

Ma ville, ainsi que les autres, s'apprête à la fêter en décorant ses rues de grandes affiches.

Dans notre ville il y avait pas mal de peintres en bâtiment.

Je les ai tous réunis, les jeunes et les vieux, et je leur ai dit :

« Écoutez ; vous et vos enfants vous serez tous élèves de mon école.

» Fermez vos ateliers d'enseignes et de barbouillage. Toutes les commandes seront transmises à notre école et vous les répartirez entre vous.

» Voici une douzaine d'esquisses. Reportez-les sur de grandes toiles et, le jour où le cortège des ouvriers traversera la ville, drapeaux et flambeaux à la main, vous irez les suspendre aux murs de la ville et des alentours. »

Tous ces peintres en bâtiment, les vieux à barbes, ainsi que leurs apprentis, se sont mis à copier mes vaches et mes chevaux.

Et le jour du 25 octobre, par toute la ville, se balançaient mes bêtes multicolores, gonflées de révolution.

Les ouvriers s'avançaient en chantant l'*Internationale.*

A les voir sourire, j'étais certain qu'ils me comprenaient.

Les chefs, les communistes, semblaient moins satisfaits.

Pourquoi la vache est-elle verte et pourquoi le cheval s'envole-t-il dans le ciel, pourquoi ?

Quel rapport avec Marx et Lénine ?

On se précipitait pour commander aux jeunes sculpteurs des bustes de Lénine et de Marx, en ciment.

Je crains qu'ils n'aient fondu sous la pluie de Witebsk.

Pauvre ville !

Quand on a érigé dans le jardin public ce moulage timide dû à un élève de l'école, je souriais caché derrière les arbustes.

Où est donc Marx, où est-il ?

Où est le banc sur lequel je vous embrassais autrefois ?

Où pourrai-je m'asseoir, cacher ma honte ?

Un seul Marx ne suffisait pas.

Dans une autre rue, on en a élevé encore un.

Il n'eut pas plus de chance.

Gros et lourd, il était encore moins bienveillant et faisait peur aux cochers qui stationnaient en face.

J'avais honte. Était-ce ma faute ?

Vêtu d'une chemise russe, une serviette de cuir sous le bras, j'avais bien l'allure d'un fonctionnaire soviétique.

Seuls les cheveux longs et, sur les joues, des taches roses détachées de mes tableaux, trahissaient le peintre.

Mes yeux brûlent de la flamme administrative. Je suis entouré de gosses — des élèves, dont je me prépare à faire des génies en vingt-quatre heures.

Je me démène pour obtenir les subventions nécessaires à l'école, pour me procurer argent, couleurs, matériel. Je fais d'innombrables démarches pour les libérer du service militaire.

J'étais tout le temps en courses. En mon absence, ma femme me remplaçait.

J'allais aux séances de Goubispolkom, pour solliciter des crédits de la ville.

Pendant que j'exposais mon projet, le président du Soviet du Gouvernement s'endormit exprès.

Il ne se réveilla qu'à la fin de mon exposé et demanda alors :

« Qu'en pensez-vous, camarade Chagall, qu'est-ce qui est le plus important, faire réparer d'urgence le pont ou donner de l'argent à votre académie des Beaux-Arts ? »

Chaque fois que, grâce à l'appui de Lounatcharsky, j'ai reçu des subventions, il exigeait que je fusse, au moins, soumis à son autorité. Sinon, il me menaçait de la prison.

Mais je n'y consentais pas.

De temps en temps, les autres commissaires venaient me voir.

Pour me persuader qu'ils étaient encore des gosses qui ne prenaient un air important que dans les meetings en frappant de violents coups sur la table, je m'amusais à donner des claques dans le dos ou sur le derrière, soit au commissaire militaire, adolescent de dix-neuf ans, soit à celui des travaux publics. Bien qu'ils fussent de robustes gars, surtout le premier, ils s'avouaient vite vaincus et je m'asseyais triomphalement sur le dos du commissaire militaire.

Tout ça soulignait le respect pour les arts des autorités de la ville. Mais ça ne les empêchait pas de faire arrêter ma belle-mère en même temps que tous les autres bourgeois, simplement parce qu'ils étaient riches.

Dans mes démarches forcées, il m'est arrivé d'aller chez Maxime Gorky.

Je ne sais pas comment je me reflétais dans son esprit.

En entrant chez lui, j'aperçus sur les murs des tableaux si dénués de goût que je pensais m'être trompé de porte.

Il était couché dans son lit et crachait tantôt dans son mouchoir, tantôt dans le crachoir.

Il acceptait, sans les discuter, tous mes projets d'un air étonné ; en m'observant, il tâchait de deviner d'où je venais et qui j'étais.

Et moi, j'avais oublié ce que j'étais venu lui demander.

Il suffisait que quelqu'un en exprimât le désir, je l'invitais aussitôt, ayant pitié de lui, à être professeur dans mon école. Car je voulais que toutes les tendances de l'art y fussent représentées.

L'un d'eux, que j'avais même nommé directeur, passait son temps à expédier des colis à sa famille. Au bureau de poste, et même au comité des communistes, on commença à parler de ces professeurs invités par le camarade Chagall.

Une autre s'amusait à flirter avec les commissaires de la ville, acceptant volontiers leurs faveurs. Quand des nouvelles de ce genre arrivaient jusqu'à moi, j'étais furieux.

« Comment est-ce possible ? » questionnais-je fiévreusement.

Mais elle me répondait, non sans ruse :

« Mais, camarade Chagall, c'est pour vous que je fais ça !... pour vous aider. »

Un troisième professeur qui habitait l'académie même s'entourait de femmes saisi d'un mysticisme « suprématique ».

Comment les attirait-il, je n'en sais rien.

Un autre, mon disciple le plus zélé, me jurait amitié et dévouement. A croire que j'étais son Messie. Mais dès qu'il fut admis professeur, il passa au camp de mes adversaires, m'accablant d'injures et de railleries.

Il vénérait déjà un nouveau dieu, qu'il ne tardait pas à rejeter, l'ayant trahi à son tour.

Encore un vieil ami, un camarade de l'école.

Je l'avais appelé auprès de moi pour être mon aide. Il travaillait dans un bureau quelconque.

A quoi bon, pensai-je, il y perd son temps.

Je l'emmenai chez moi.

Il était heureux, et en témoignage de reconnaissance, il se hâtait, lui aussi, de passer du côté de mes ennemis.

Ma fonction de président m'obligeait à siéger tard dans la nuit. Avec ardeur, je conviais les professeurs à accomplir leurs devoirs ; mais eux s'alanguissaient peu à peu, somnolaient.

Ils se moquaient pas mal de ces séances, de l'école même, de moi, de mes convictions.

Il est vrai, j'étais peu patient. Je leur donnais la parole, mais sachant d'avance ce qu'ils allaient dire, je ne les laissais pas finir. Je voulais réaliser d'un seul coup académie, musée, ateliers communaux.

J'étais impatient de voir tout marcher. Et je n'accordais nul repos, ni à moi, ni aux autres.

Tous les professeurs « s'adorant » l'un l'autre, se mirent à « m'adorer » moi aussi.

Je devins une célébrité dans la ville et j'engendrai des dizaines de peintres.

Un jour que j'étais en voyage

pour leur obtenir comme d'habitude du pain, des couleurs, de l'argent, tous ces professeurs se révoltèrent entraînant mes élèves dans leur rébellion.

Que Dieu leur pardonne !

Et, soutenus par tous ceux que j'avais accueillis, assurés de pain et d'emplois, ils prirent un décret, décidant mon expulsion de l'école dans les vingt-quatre heures.

Après mon départ, ils se sont aussitôt apaisés.

Il n'y avait plus personne, avec qui lutter. Après s'être approprié tous les biens de l'académie, et jusqu'à des tableaux que je leur avais achetés et payés pour le compte de l'État, dans l'intention de fonder un musée à Witebsk, ils se sont dispersés, abandonnant l'école et les élèves au hasard du destin.

J'ai envie de rire. A quoi bon trier toutes ces vieilleries ?

Je ne dirai rien de plus des amis et des ennemis.

Leurs masques sont creusés dans mon cœur, comme des bûches de bois.

Faites-moi partir en vingt-quatre heures avec toute ma famille.

Faites enlever mes enseignes, mes affiches, bégayez à votre aise.

N'ayez pas peur, je ne me souviendrai plus de vous.

Je ne veux pas rester moi-même dans votre mémoire.

Si pendant plusieurs années, négligeant mon propre travail, je me donnai entièrement aux besoins de mon pays natal, ce n'était pas par amour pour vous, mais pour ma ville, pour mon père, pour ma mère, qui reposent là-bas.

Et vous autres, laissez-moi tranquille.

Je ne serai pas surpris, si après une longue absence, ma ville efface mes traces et ne se rappelle plus celui qui, abandonnant ses propres pinceaux, se tourmentait, souffrait et se donnait la peine d'y implanter l'Art, qui rêvait de transformer les maisons ordinaires en musées et l'habitant vulgaire en créateur.

Et j'ai compris alors que nul n'est prophète en son pays.

Je suis parti pour Moscou.

Je pense aux amis. L'étaient-ils réellement ?

Mon premier ami d'enfance que je chérissais tant, m'a quitté, se détachant de moi, comme une gaze se détache de la blessure.

Et pourquoi ?

Encore élève de l'École des Beaux-Arts, il s'appropriait mes études de classe, effaçait ma signature et les faisait passer pour siennes.

Je ne le lui reprochai pas. Mais la direction le mit quand même à la porte.

Plus tard, pendant mon séjour à Paris, il se promit d'enlever ma fiancée, tâchant de la séduire par une affection mensongère.

Et enfin, voyant mes toiles d'adulte, et ne me comprenant plus, il devint jaloux, comme tous les autres.

Ainsi notre amitié enfantine s'est évaporée au seuil de la vie adulte et méchante.

Ce n'était même pas une amitié, un ami.

Avec qui donc me lier ? Qui aimer ?

Mes portes ainsi maintenant sont ouvertes.

L'âme aussi, même le sourire, parfois.

Je ne suis plus surpris quand on m'abandonne, lorsque je suis trahi et je ne me réjouis plus des nouveaux venus. Je me méfie.

Point d'amis. Un autre aussi m'a quitté. Il n'est plus pauvre, il est même célèbre.

Mais le monde est comblé d'amis.

Quand il neige, j'ouvre la bouche pour l'avaler.

Ça y est-il ?

Ainsi sont les amis.

Que Dieu seul m'aide à verser de vraies larmes devant mes toiles !

Là resteront mes rides, mon teint pâli, là s'imprimera pour toujours mon âme fluide.

Ma ville est morte. Parcouru le chemin de Witebsk !

Tous les parents sont morts.

J'écrirai quelques mots pour moi seul.

Vous pouvez ne pas les lire. Détournez-vous.

Mes sœurs ! C'est affreux de ne pas avoir encore donné de monument à papa, ni à Rosine, ni à David. Écrivez-moi immédiatement, nous

nous entendrons. Nous finirions par oublier où chacun repose.

Ma mémoire est en feu.

J'ai fait une étude de toi, David, la mandoline à la main. Tu riais. Ta bouche rosée, pleine de dents. Tu es bleu sur mon tableau.

Tu reposes en Crimée, à l'étranger, dans cet endroit que tu as si douloureusement dessiné de la fenêtre de ton hôpital. Mon cœur est avec toi.

Mon petit père...

La démangeaison de nos dernières années tiraille mon ventre et mes toiles vibrent de ces souffles.

Mon père chargeait des autos ; à peine gagnait-il sa vie.

Une auto l'a renversé, écrasé et tué net. Tout simplement.

On m'a caché la lettre qui annonçait sa mort.

Pourquoi ? Je ne pleure pourtant presque plus. Je ne suis pas retourné à Witebsk.

Ainsi, je n'ai vu ni la mort de maman, ni celle de papa.

Je n'aurais pas pu.

Déjà ainsi je sens trop la vie. Voir encore cette « vérité » de mes yeux... perdre la dernière illusion... je ne peux pas.

Mais, peut-être cela me serait utile.

Il m'aurait fallu voir, voir de mes yeux les traits mortuaires de mes parents, le visage de ma mère, sa face morte, toute blanche.

Elle m'a tant aimé. Où étais-je ? Pourquoi ne suis-je pas venu ? Ce n'est pas bien.

Et le visage de mon père, écrasé par le destin et par les roues d'une auto. C'est mal que je n'aie pas été là. Je me serais montré, il en eût été si content. Mais il ne ressuscitera pas.

Je verrai ta tombe plus tard. Elle est à deux pas de celle de maman.

Je m'allongerai tout le long de ta tombe.

Tu ne ressusciteras quand même pas.

Et lorsque je serai vieux (ou peut-être avant) je me mettrai auprès de toi.

Assez de Witebsk. Fini son chemin.

Un point sur son art.

Toi seule, tu es avec moi. Seule, de qui mon âme ne dira pas un mot en vain.

Quand je te regarde longuement, il me semble que tu es mon œuvre.

Plus d'une fois tu as sauvé mes toiles du sombre destin.

Je ne comprends pas les hommes, pas plus que mes tableaux. Tout ce que tu dis est juste. Dirige donc ma main. Prends le pinceau et, comme un chef d'orchestre, emporte-moi vers les lointains inconnus.

Que nos feus parents bénissent la conception

de notre peinture. Que le noir soit plus noir et le blanc encore plus blanc.

Et notre petite est avec nous. Pardonne-moi, chérie, de ne m'être pas souvenu de toi plus tôt, de n'être venu te voir qu'au quatrième jour de ta naissance.

C'est honteux. J'avais rêvé d'un garçon et c'était le contraire.

Idotchka est née.

Presque aussitôt après sa naissance, nous l'avons emportée à la campagne.

Un nouveau-né, ce n'est pas un vase fragile. Ma femme l'a emmitouflée de la tête jusqu'aux pieds, afin qu'elle ne prenne pas froid.

Je lui ai dit : « Je crois qu'il faudrait découvrir au moins la bouche ; il faut de l'air à un être vivant. »

Enfin, nous sommes arrivés. Et dès que nous avons dénoué ce colis enfantin, nous avons poussé des cris en même temps que l'enfant, qui, furieux et rouge, soufflait comme un volcan.

« Tu vois ? »

Nous avions comme voisins ma sœur et son mari. Leur bébé, à chaque pas, laissait des traces derrière lui. Ainsi, toute la journée, le plancher était en couleur. Et les pots de chambre, donc !

Dans la chambre, une seule fenêtre.

On apercevait un bout de route et un sapin au milieu. Mais mon beau-frère, en s'asseyant devant, me cachait tout le paysage.

Idotchka ne voulait pas goûter à l'eau sucrée.

Les gouttes de lait étaient devenues rares. Certainement très savoureuses, car, quoiqu'elle ne fût pas sucrée, son eau, la petite maligne ne se laissait pas tromper.

Elle criait si fort que je ne pouvais me défendre de la jeter furieusement sur son lit.

« Tais-toi ! »

Je ne supporte pas les cris aigus des enfants. C'est affreux !

En somme, je ne suis pas père.

On dira que je suis un monstre.

Je perds la considération des gens.

A quoi bon écrire tout cela ?

Et plus tard ! Te souviens-tu, ma chérie, de ce qui est arrivé, quelques années après, à Malachowka ?

Je fis un rêve : une petite chienne a mordu notre Idotchka. Il faisait nuit. Par la fenêtre de ma chambre je voyais la voûte du ciel, croisée de carrés gigantesques, multicolores, de radiomètres, de ronds, de méridiens, rayés de signes écrits.

Moscou, point ; Berlin, point ; New-York, point. Rembrandt, Witebsk. Millions de supplices.

Toutes les couleurs, sauf l'ultra-marin, se brûlent et se rebrûlent.

Je me tourne en arrière et je vois mon tableau où les hommes sont hors d'eux-mêmes.

Il faisait chaud. Tout paraissait vert.

Je suis couché entre ces deux mondes et regarde par la fenêtre. Le ciel n'est plus bleu et dans la nuit il bourdonne comme une coquille et brille plus fort que le soleil.

Est-il possible, que ce rêve corresponde à mon élan à travers les champs, quand le lendemain ma petite y est tombée et s'est blessée.

Poussant des cris, perdant le sang qui coulait du petit bâton, enfoncé dans sa joue, elle courait vers moi, de toutes ses forces.

Et de nouveau je sens que tout se tord en moi, que, même, je marche singulièrement sur la terre.

Si je pouvais écrire, les pelotes de mes paroles

seraient plus insipides que la terre de ce champ, où tu es tombée, ma chère petite.

Il me semble qu'après moi tout sera différent.

Et ce monde-ci, sera-t-il vivant ?

Mais mes élèves se sont repentis. Ils me pressent de revenir dans mon école. Ils ont imprimé une résolution, assurant qu'ils ont besoin de moi.

Ils font serment de m'obéir, etc.

Me voici de nouveau avec ma famille, dans un wagon de marchandises, à côté de la voiture d'enfant, du samovar et d'autres objets ménagers.

Mon âme, pareille à une chambre humide, suinte lentement.

L'espoir se dissimule dans la serviette de cuir.

Là est mon jugement et la densité de toutes mes illusions.

Il neige. Il fait froid. Point de bois.

On m'a installé dans deux pièces faisant partie d'un appartement occupé par une nombreuse famille polonaise.

On se heurtait à leurs regards, comme à des épées.

« Attendez donc ; les Polonais ne tarderont pas à entrer à Witebsk et ils tueront ton père », disaient leurs enfants à ma petite fille.

En attendant, les mouches nous foudroyaient.

Nous habitions tout près des casernes. C'est de là que des milliers de mouches jaillissaient, joyeuses, voltigeant bravement dans la rue, pénétrant chez nous à travers toutes les fentes. Elles piquaient les tableaux, les figures, les bras, les meubles, ma femme et mon enfant, si bien qu'elle en tomba malade.

Les soldats passent devant nos fenêtres. Des gosses déguenillés et sales jouent devant nos portes et ma fille, saisie de pitié, leur porte en cadeau des cuillères, des fourchettes en argent.

Je déménage de nouveau. Un vieux richard se risque à nous donner asile, avec l'espoir que, en ma qualité de directeur d'académie, je pourrai le protéger. Contre quoi ?

En effet, on le laissa tranquille.

Ce vieillard, solitaire et avare, se nourrit comme un chien malade. Sa cuisinière souffle dans les casseroles vides et sourit, en attendant sa mort.

Personne n'entre chez lui. Dehors, c'est la révolution. Il n'en a aucune idée. Il n'est occupé qu'à veiller sur son bien.

Il est assis, seul, devant sa grande table.

La lampe suspendue, brillante du vivant de sa femme, brûle à peine maintenant et son ombre trouble reflète les épaules voûtées, les bras tordus, la barbe et la figure jaunâtre et ridée.

Il n'a rien à faire.

La nuit, quand les soldats de la Tchéka venaient perquisitionner chez lui, ils devaient passer par notre chambre.

Ils s'arrêtent d'abord pour m'interroger.

Je montre mes papiers. Ils les lisent en souriant.

« Et là ?

— Là, habite un vieillard si âgé, que dès que vous vous approcherez il tombera mort. Risquerez-vous cela ? »

Et ils s'en allaient.

Ainsi je le sauvai plus d'une fois, jusqu'à ce qu'il mourût tout seul.

Fini mon appartement. Où loger ?

La maison de mes beaux-parents avait été ruinée bien avant ce temps.

Une après-midi, sept voitures de la Tchéka ont stoppé devant les vitrines éclatantes et les soldats se sont mis à y entasser pierres précieuses, or, argent, montres, tout ce qui emplissait les trois magasins. Ils sont même entrés dans l'appartement pour y chercher ce qu'il y avait de précieux.

Ils ont même emporté de la cuisine l'argenterie qu'on venait d'enlever de la table à peine desservie.

Ensuite, ils s'avancèrent vers ma belle-mère, en lui mettant leurs revolvers sous le nez :

« Les clefs du coffre-fort, ou bien... »

Ne sachant pas ouvrir les coffres, ou respectant leur valeur, ils les ont aussi chargés, non sans peine, sur leurs voitures.

Enfin, rassasiés, ils sont partis.

Mes beaux-parents, vieillis d'un seul coup, en demeuraient muets, bras ballants, les yeux perdus vers ce lointain où disparaissaient les sept voitures.

La foule amassée pleurait silencieusement.

On a tout enlevé. Il ne restait même pas une cuillère.

Le soir, on envoie la bonne chercher quelque part des cuillères ordinaires.

Le père prend la sienne, l'approche de sa bouche, la repousse. Des larmes coulent sur la cuillère d'étain, et se mêlent à son thé.

Dès la nuit, les tchékistes revenaient, armés de fusils et de pelles.

« Perquisition ! »

Avec l'aide d'un « expert », un ennemi envieux, ils perçaient les murs et soulevaient les parquets. Ils cherchaient des trésors celés.

Il y avait là de quoi abattre le courage de mes parents, bien qu'ils fussent habitués aux fréquentes agressions et aux attentats des bandits ordinaires, tentés par leur trop apparente fortune.

Moscou, entouré du Kremlin, ou le Kremlin, entouré de Moscou, des Soviets.

De bouches affamées et le hurlement d'octobre.

Qui suis-je ? Un écrivain, quoi ?

Est-ce à moi de décrire comment dans ces années nos muscles se cabraient.

La chair se transformait en couleurs ; le corps en pinceau et la tête en tour.

J'enfilais mes larges pantalons, mon sarrau jaune, (cadeaux des Américains, qui, par pitié pour nous, nous envoyaient leurs vêtements usés), et j'allais, comme tout le monde, aux meetings.

Il y en avait beaucoup.

Meeting sur la politique internationale présidé par Lounatcharsky ; meeting théâtral ; meeting des poètes, des artistes.

Lequel choisir ?

Meyerhold, écharpe rouge autour du cou, profil d'empereur en exil, est le rempart de la révolution théâtrale.

Il n'y a pas encore longtemps, il travaillait au Théâtre Impérial, et portait avec éclat l'habit.

Je l'aime, lui seul parmi tous. Je regrette même de n'avoir jamais travaillé avec lui.

Pauvre Taïroff, si avide de nouveautés, qui lui arrivent de troisième main, Meyerhold ne lui laissait pas la paix.

Et il n'était pas de meilleur spectacle que celui de leurs fréquentes prises de bec.

Au meeting des poètes, c'est Maïakowsky qui criait le plus fort.

Bien qu'il m'eût écrit sur un de ses livres, en dédicace :

« Plaise à Dieu, que chacun chagalle[1] comme Chagall ! », nous n'étions pas amis.

Il sentait que ses criailleries et ses crachats publics me dégoûtaient.

La poésie a-t-elle besoin de tant de bruit ?

J'aimais mieux Essénine, dont le sourire et les dents m'émouvaient.

Il criait aussi, ivre de Dieu, non du vin. Larmes aux yeux, il frappait non la table, mais sa poitrine et crachait non sur autrui, mais sur sa propre face.

De la tribune il m'envoyait son salut.

Il se peut que sa poésie soit imparfaite ; mais n'est-elle pas, après celle de Block, le seul cri de l'âme en Russie ?

Et que faire au meeting des peintres ?

Là, les élèves d'hier, amis d'autrefois, voisins, dirigent l'art de toute la Russie.

Ils me regardent avec méfiance et pitié.

Mais je n'ai plus de prétentions et d'ailleurs, on ne m'invite plus comme professeur.

Or, sauf moi, qui n'est pas professeur aujourd'hui ?

Voici un des chefs du groupe « Bubnowy Walet ».

En me désignant, d'un doigt, un bec de gaz au milieu de la place du Kremlin, il ajoute malicieusement :

« C'est là que vous tous serez pendus. »

Il paraît qu'en attendant c'est un révolutionnaire fort zélé.

Un autre, que Dieu a privé de talent, lance ce cri : « Mort au tableau ! »

Les artistes « arrivés » du temps du tzar, le regardent avec rancune.

Je vois de loin Tugendhold, mon vieil ami, qui, un des premiers, a parlé de moi.

Maintenant il est épris de l'art prolétarien avec autant d'opiniâtreté qu'autrefois de l'art occidental.

Un artiste précoce parle avec dédain de la peinture, qu'il ignore. Finalement, observant avec amour une chaise placée devant lui, il s'exclame :

« Maintenant, moi et ma femme, nous ne nous occuperons que de peindre des chaises. »

Une nouvelle révélation, pareille aux « découvertes » du cubisme, du simultanéisme, du constructivisme, du contre-relief, revenues d'Europe avec dix ans de retard !

Et ils finissent par « se révéler » de nouveau dans l'académisme.

Mais, quand j'ai entendu quelqu'un crier : « Je me f... de votre âme. J'ai besoin de vos jambes, mais pas de votre tête », je n'ai plus hésité.

Assez ! Je veux garder mon âme.

Et je pense que la révolution peut être grande tout en conservant le respect d'autrui.

Si j'avais été seulement un peu plus audacieux, j'aurais obtenu, comme tant d'autres, des privilèges quelconques. Mais non.

Je suis un bègue. Je crains toujours.

Je cherche un logement à Moscou. J'en ai assez de Witebsk.

Enfin j'ai trouvé une chambrette, donnant sur la cour. Humide. Dans le lit les couvertures gardent l'humidité. L'enfant couche dans l'humidité. Les tableaux jaunissent. Les murs semblent couler.

Quoi, suis-je en prison ?

Une toise de bois est étalée au pied du lit.

J'ai eu de la peine à me la procurer.

« Le bois est sec », m'a assuré le paysan malin. Où trouver quelqu'un pour le faire scier ?

Impossible de monter au cinquième ces grandes bûches et je ne me risquerai pas à les laisser dehors, tout serait volé.

Moi et quatre militaires rencontrés par hasard, nous traînons des brassées de bois en haut, dans notre chambre et nous le rangeons en croix, comme si la chambre était un hangar.

Vint la nuit : on aurait dit que toute une forêt s'était mise à dégeler. Les sapins coulent et s'écoulent.

Y a-t-il des loups entre ces bûches, des renards aux longues queues ?

Nous avions l'impression de coucher dehors, d'écouter le murmure des gouttes d'eau, de la neige fondue.

Il ne manquait que les nuages de Moscou, et la lune.

Pourtant, nous dormions et rêvions.

Ma femme, en s'éveillant, me priait :

« Va regarder la petite. Y a-t-il beaucoup de neige dans son lit ? Couvre-lui la bouche ! »

Point d'argent. On n'en avait pas besoin : il n'y avait rien à acheter.

Je reçois des rations et je les traîne sur la route glacée, comme une pelote d'ailes blanches, mêlées à de la viande crue, rouge, osseuse.

Que faire ? Toute une moitié de vache. Tout un sac de farine — vivent les souris !

J'aimais les harengs, mais tous les jours des harengs ! J'aimais la « kacha » de millet. Mais tous les jours !

Puis, il faudrait pour le bébé un bout de beurre, du lait.

Ma femme emporte ses bijoux au marché de Soucharewka, mais le marché est cerné et la milice l'arrête.

« Au nom de Dieu, supplie-t-elle, laissez-moi partir. Mon bébé est seul à la maison. Je ne cherche qu'à échanger mes bagues contre un quart de beurre. »

Je ne me plains pas. J'étais bien. Qu'importe ?

Un brave homme nous a donné asile dans son appartement. Nous couchons tous, ma femme, l'enfant, la bonne et moi, dans la même chambre.

Le fourneau fume. Les tuyaux crachent l'humidité dans les lits. Des larmes joyeuses se figent dans les yeux enfumés. Dans un coin de la chambre la neige luit comme une ouate innocente.

Le vent siffle paisible et les éclatements du feu détonent à distance, comme des baisers sonores.

Il fait joyeux et creux.

Des sourires bariolent ma figure et le pain noir, soviétique rumine sourdement dans ma bouche, s'enfonce dans mon cœur.

Dans la nuit, notre hôte offrait asile à deux filles. Ainsi se consolait-il.

En temps de famine, au temps des soviets ! Bourgeois que tu es !

Exaspéré, je me suis jeté avec acharnement sur le plafond et les murs du théâtre de Moscou.

Là soupire dans l'obscurité ma peinture murale. L'avez-vous vue ?

Écumez, contemporains !

N'importe comment, mon premier alphabet théâtral a bourré vos intestins.

Pas modeste ? Je céderai la modestie à ma grand-mère ; elle m'ennuie.

Méprisez-moi, si vous voulez.

Voilà, dit Effross —

en m'introduisant dans une salle obscure — ces murs sont à toi et fais là ce que tu voudras. »

C'était un appartement délaissé par des bourgeois évadés, tout démoli.

« Tu vois, continuait-il, ici seront les banquettes pour le public ; là, la scène. »

A vrai dire, je ne voyais là que le souvenir d'une cuisine et ici...

« A bas le vieux théâtre qui pue l'ail et la sueur. Vive... »

Et je me précipitai vers les murs.

Les toiles étaient étendues sur le plancher. Ouvriers, acteurs marchaient dessus.

Les salles, les corridors étaient en pleine réparation ; des tas de copeaux se mêlaient à mes tubes de couleurs, à mes esquisses. A chaque pas on remuait des bouts de cigarettes, des croûtes de pain.

Moi aussi, j'étais allongé sur ce parquet.

Il m'était doux, par moments, de rester ainsi couché. Chez nous, on pose par terre le mort. Ses proches, par terre aussi, pleurent à son chevet.

J'aime rester ainsi contre la terre en lui chuchotant mes chagrins, mes prières.

Je me rappelle mon lointain aïeul qui a fait les peintures dans la synagogue de Mohileff.

Et j'ai pleuré.

« Pourquoi ne m'a-t-il pas appelé, cent ans avant, à son aide ? Au moins, maintenant, qu'il prie devant l'autel suprême, qu'il me protège.

» Verse en moi, mon grand-père barbu, une ou deux gouttes de la vérité éternelle. »

Pour me réconforter, j'envoyais Effroïm, le concierge du théâtre, me chercher du lait et du pain.

Le lait n'était pas du vrai lait ; le pain n'était pas du pain. Lait à l'eau, à l'amidon. Pain à l'avoine, aux pailles, couleur de tabac.

Peut-être c'était du vrai lait tiré d'une vache révolutionnaire. Ou, plutôt, le concierge avait simplement rempli la cruche d'eau, y avait mélangé je ne sais quoi et me l'avait servi ainsi, la canaille.

C'était comme du sang blanc ou pire encore.

Je mangeais, je buvais, je m'enflammais.

Ce concierge, le seul représentant des ouvriers dans notre théâtre, je le vois encore.

Son nez, sa pauvreté, sa lâcheté, sa bêtise, ses poux, qui rampaient de lui sur moi et retour. Souvent, il restait debout sans rien faire et souriait fiévreusement.

« De quoi ris-tu, imbécile ?

— Je ne sais que regarder : votre peinture ou vous-même. L'un et l'autre sont aussi drôles ! »

Effroïm, où es-tu ? Soit, tu n'étais qu'un concierge, mais parfois, par hasard, tu te tenais devant la caisse, vérifiant même les billets.

J'ai pensé souvent : on devrait l'engager pour la scène. Pourquoi pas ? On a bien engagé la femme de l'autre concierge.

La taille de cette femme rappelait une toise de bois humide, tout couvert de neige.

Pendant les répétitions, elle criait, déclamait comme une rosse enceinte.

A mes ennemis, je n'aurais pas souhaité de voir, par hasard, ses seins.

Horreur !

A côté se trouvait le bureau du directeur Granowsky. En attendant que le théâtre soit prêt, peu de travail.

La pièce est étroite. Il est au lit. Au-dessous, des copeaux. Il dorlote son corps.

« Comment allez-vous, Alexeï Michaïlowitch ? »

Il se repose et sourit, ou il boude et grogne. Plus d'une fois, vers moi ou vers d'autres visiteurs filaient ses mots aigus, soit du genre féminin, soit du masculin.

Je ne sais s'il sourit encore maintenant, Granowsky.

Mais, comme le lait apporté par Effroïm, son sourire me consolait un peu.

Je n'ai jamais osé lui demander s'il m'aimait.

Ainsi je suis parti sans le savoir.

Travailler pour le théâtre, c'était depuis longtemps mon rêve.

Encore en 1911, Tugendhold avait écrit quelque part que les objets vivaient sur mes toiles.

« J'aurais pu, disait-il, faire des décors psychologiques. »

J'y ai réfléchi.

En effet, un peu plus tard, il a recommandé au

régisseur Taïroff de songer à moi pour « Les polichinelles de Windsor ».

Nous nous sommes rencontrés avec lui et nous nous sommes tout bonnement séparés.

Achevant mon séjour à Witebsk, en 1919, après y avoir introduit des arts et des artistes, des amis et des ennemis, je me suis réjoui, en recevant l'invitation de Granowsky et d'Effross. Ils me demandaient de venir travailler pour l'inauguration du nouveau théâtre juif.

C'est Effross qui insista pour m'inviter.

Effross ? Jambes infinies. Ni bruyant, ni silencieux. Il vit. Mobile de droite et de gauche, du haut et du bas. Tout brille : ses lunettes, sa barbiche.

Ici et là, il est partout.

C'est un de mes amis, que j'aime et qui le mérite.

Granowsky, j'en ai entendu parler pour la première fois à Pétersbourg pendant la guerre.

Élève de Rheinhardt, il montait de temps à autre des spectacles de masses, qui jouissaient, après la visite en Russie de l'Œdipe de Rheinhardt, d'une certaine vogue.

En même temps, il organisait des spectacles juifs. Sa troupe était formée d'hommes de tous les métiers, avec lesquels il a fondé l'école de son théâtre.

J'ai vu ses représentations, dans le style réaliste de Stanislawsky.

Je n'ai pas dissimulé mon déplaisir.

C'est pourquoi, arrivé à Moscou, j'étais inquiet.

J'ai senti qu'au moins au début, il n'y aurait pas d'accord entre nous.

Moi, toujours inquiet et troublé par la moindre chose, lui homme convaincu, un peu moqueur.

Et, l'essentiel : pas du tout Chagall.

On m'a proposé de faire les peintures murales de la salle de représentations et la mise en scène du premier spectacle.

« Ah ! pensai-je, voilà l'occasion de renverser le vieux théâtre juif, son naturalisme psychologique, ses barbes collées. Là, sur les murs, au moins, je pourrai me mettre à mon aise et projeter librement tout ce qui me semble indispensable pour la renaissance du théâtre national. »

N'avais-je pas proposé à l'acteur Michaëls de lui retirer un œil, pour compléter son masque ?

Je me suis mis au travail.

J'ai fait une peinture pour le mur principal : « L'Introduction au nouveau théâtre national ».

Les autres murs de refend, le plafond et les frises représentaient les aïeux de l'acteur contemporain — un musicien populaire, un clown amuseur de noces, une bonne femme dansant, un copiste de la Thora, premier poète rêveur et enfin un couple moderne, voltigeant sur la scène. Des plats et des mets, des craquelins et des fruits, dispersés sur les tables couvertes, décoraient les frises.

J'attendais le contact avec la troupe des acteurs.

Comme je suppliais silencieusement, à part moi, le régisseur, les acteurs, qui passaient :

« Mettons-nous d'accord. Ensemble, renversons toutes ces vieilleries. Faisons un miracle ! »

Les acteurs m'aimaient. Souvent, ils m'envoyaient soit un bout de pain, soit un peu de potage, soit un sourire, de l'espoir.

Granowsky, en ce moment, traversait lentement la régénération de Rheinhardt et de Stanislawsky vers d'autres horizons.

Et quand j'étais là, il vivait encore dans d'autres mondes.

Je ne sais pas pourquoi il ne se confiait jamais à moi. De mon côté, je n'osais pas non plus.

Celui qui brisa la glace, ce fut l'acteur Michaëls, affamé comme tout le monde.

Plus d'une fois, il s'approchait de moi, yeux et front proéminents, cheveux au vent. Un nez court, de grosses lèvres. Il suit attentivement la pensée, la devance et, par les angles aigus de ses bras et de son corps, se précipite vers l'essentiel. Inoubliable !

Il contemplait ma peinture, me priant de lui prêter mes esquisses. Il voulait se lier avec elles, s'y accoutumer et tâcher de les comprendre.

Après un ou deux mois, il m'annonce tout joyeux :

« Vous savez, je les ai étudiées, vos esquisses. Je les ai comprises. Ça m'a conduit à transformer complètement mon personnage. Désormais, je sais utiliser autrement mon corps, le mouvement, la parole.

» Tout le monde me regarde, dit-il, et on ne comprend pas ce qui s'est passé. »

En réponse, je souris. Il sourit.

Les autres acteurs s'avancent prudemment vers mes toiles, vers moi, grimpé sur la haute échelle ; ils essaient de voir quelque chose, de comprendre, eux aussi.

Ne pourraient-ils pas se transformer à leur tour ?

Tout manquait. Pas d'étoffe pour les costumes et les décors.

A la veille de l'inauguration du théâtre, on m'apporta de vieux complets usés. Je les coloriai en hâte.

Dans les poches je découvris des bouts de cigarettes, des croûtes de pain.

Le soir de la première, je n'ai même pas pu aller dans la salle de spectacle, tellement j'étais éclaboussé de couleurs. Quelques secondes encore avant le lever du rideau, je courais sur le plateau afin d'y peindre en hâte les accessoires. Je ne supportais pas le « naturalisme ».

Soudain, une collision.

Granowsky a suspendu un vrai torchon.

Je soupire et crie :

« Un vrai torchon ?

— Qui est régisseur, ici, vous ou moi ? » riposte Granowsky.

Mon pauvre cœur !

Papa, maman !

Naturellement, la première représentation ne réalisait pas, selon moi, un ensemble parfait.

Mais j'avais le sentiment que ma tâche était accomplie.

Le théâtre « Habima », de son côté, me proposa de prendre en mains la mise en scène du « Dibbouk ».

Je ne savais que faire.

Les deux théâtres étaient alors en guerre.

Mais je ne pouvais pas ne pas aller à cet « Habima », où les acteurs ne jouaient pas, mais priaient tout en portant aux nues, eux aussi, hélas ! le théâtre de Stanislawsky.

Si notre roman avec Granowsky, selon son expression, ne se nouait pas, j'étais encore plus loin de Wachtangoff. Régisseur de « Habima » en même temps qu'acteur du théâtre de Stanislawsky, ses mises en scène étaient, à cette époque, encore inconnues.

Il me semblait difficile de trouver pour nous deux une langue commune.

Je réponds à l'amour, à l'attachement d'un cœur égal, mais devant les doutes, les hésitations, je m'en vais.

Assistant aux premières répétitions du « Dibbouk » et écoutant Wachtangoff, je pensais : « C'est un Géorgien. Nous nous voyons pour la première fois. Il se tait. Nous nous examinons gauchement. Assurément, il lit dans mes yeux le chaos et le désordre de l'Orient, un art incompréhensible, étranger.

» A quoi bon me troubler, rougir et le percer de mes yeux ? Je vais lui injecter une goutte de poison.

» Avec moi, ou derrière mon dos, il s'en souviendra un jour. Les autres me suivront et traduiront, dans une forme plus populaire, plus claire et plus nette, mes paroles et mes soupirs. »

Enfin, Zémach, le directeur de « Habima », me fait sortir de mes réflexions :

« Marc Zacharowitch, selon vous, comment convient-il de monter le « Dibbouk » ?

— Il vaut mieux que vous consultiez d'abord Wachtangoff », répondis-je.

Une pause.

Ce dernier, lentement, répond que toutes ces déformations lui sont étrangères, que seule la ligne de Stanislawsky est juste.

Rarement, j'ai été si hors de moi.

« En ce cas, pourquoi m'a-t-on dérangé ? »

Mais je réponds en me contenant que je ne vois pas cette ligne dans la renaissance du théâtre juif.

Et, me tournant vers Zémach :

« Malgré tout, vous le monterez à mon idée, même si je ne suis pas là ! Il n'y a pas d'autre chemin. »

Soulagé, je suis sorti.

En revenant à la maison, j'évoquais ma première rencontre avec Ansky, l'auteur du « Dibbouk ».

M'apercevant, au cours d'une soirée, il m'avait embrassé et m'avait dit joyeusement :

« Vous savez, j'ai une pièce, « Dibbouk ». Vous seul devez la réaliser. J'ai pensé à vous. »

L'écrivain Baal-Machschowess, qui était avec nous acquiesçait de ses lunettes et secouait la tête.

Mais que pourrai-je faire ?

Il s'est trouvé, ainsi qu'on me l'a rapporté dans la suite, que Wachtangoff, un an plus tard, passait des heures devant mes peintures murales au théâtre de Granowsky et chez « Habima » (Zémach me l'a lui-même avoué) on avait commandé à un autre artiste de peindre « à la Chagall ».

Et chez Granowsky, je l'ai aussi entendu dire, on va maintenant bien au-delà de Chagall !

A la bonne heure !

Travaillant au théâtre, je n'oubliais pas que ma famille habitait à Malachowka, dans une petite campagne près de Moscou.

Pour y arriver, je faisais d'abord une queue de plusieurs heures pour me procurer un billet, puis une autre pour parvenir jusqu'au quai.

Vêtu de mon sarrau et de larges pantalons, je supportais non sans peine la pression de la foule.

De nombreuses laitières avec leurs bidons de fer-blanc heurtaient sans pitié mon dos. Elles me marchaient sur les pieds. Les paysans se bousculaient.

Debout ou allongés par terre, ils donnaient la chasse aux poux.

Les graines de tournesol claquaient sous leurs dents et rejaillissaient sur mes mains, sur ma figure.

Enfin, lorsque le soir le train glacé démarrait lentement, des chansons, plaintives ou bruyantes, retentissaient dans le wagon enfumé.

Il me semblait que je montais au ciel à travers les bouleaux, la neige, les nuages de fumée, avec ces femmes potelées, ces paysans barbus qui faisaient inlassablement leurs signes de croix.

Des bidons vides de lait et remplis de monnaie, retentissaient comme des tambours.

Finalement, le train s'arrête et je descends. Ainsi tous les jours.

Il fait nuit ; je traverse les champs déserts et il me semble que dans la neige un loup est tapi.

Un loup, pas de doute.

Je me déplace, je recule, je m'avance prudemment, jusqu'à ce que je sois convaincu que ce n'est pas un loup. Un pauvre chien immobile.

Le matin, je reprends le même chemin pour regagner Moscou.

Il ne fait pas jour encore. Le ciel est bleu lilas. La plaine t'enveloppe de ses milliers de kilomètres. Les bouleaux joyeux couronnent ta tête.

Sur le quai, de nouveau, les troupeaux de laitières avec leurs bidons d'eau lactée ; les mêmes paysans à l'odeur forte.

Le train de marchandises rampe lourdement, craquant de froid.

On se précipite, on se bouscule à l'assaut des marches glacées.

Soudain, un cri aigu. Une paysanne aplatie, tombée dans la neige sous les roues d'un wagon, hurle férocement.

Le sang violet de sa jambe fracturée se répand sur la neige.

« Oh ! mes frères ! » l'entend-on se lamenter.

On fouille, on bêche, on la soulève et on l'emporte, comme du fumier.

On en a vu de toutes sortes.

Le Narkompross m'invite, en qualité de professeur, dans la colonie d'enfants dénommée « IIIe Internationale » et dans celle de Malachowka.

Ces colonies se composaient d'une cinquantaine d'enfants, tous orphelins, élevés par des maîtres avisés, qui rêvaient d'appliquer les systèmes pédagogiques les plus avancés.

Ces enfants étaient les plus malheureux des orphelins.

Tous, ils venaient d'être précipités à la rue, frappés du fouet des bandits, terrifiés par l'éclair du poignard qui avait égorgé leurs parents. Assourdis du sifflement des balles et du fracas des vitres cassées, ils entendaient encore tinter à leurs oreilles les suprêmes prières de leurs père et mère. Ils avaient vu comment on arrachait sauvagement la barbe du père, comment on éventrait leurs sœurs, violées en hâte.

Couverts de loques, frissonnant de froid et de faim, ils rôdaient par les villes, se suspendaient aux tampons des trains jusqu'à ce qu'on les recueillît enfin — un millier parmi tant d'autres — dans les asiles d'enfants.

Et les voici devant moi.

Dispersés dans plusieurs maisons de campagne, ils ne se réunissaient que pour leurs études.

L'hiver, leurs maisonnettes se noyaient dans la neige, et le vent, soulevant des tourbillons de flocons, sifflait et chantait dans les tuyaux.

Les enfants s'occupaient de leur ménage, préparant eux-mêmes, tour à tour, leurs repas, faisant leur pain, coupant et charriant leur bois de chauffage, lessivant et raccommodant.

Ils siégeaient, à l'exemple des hommes, délibéraient et se jugeaient l'un l'autre, jugeaient même leurs professeurs et chantaient en chœur l'*Internationale* en gesticulant et souriant.

J'enseignai l'art à ces petits malheureux.

Pieds nus, vêtus légèrement, ils criaient plus fort l'un que l'autre et de tous côtés retentissait : « Camarade Chagall !... »

Seuls leurs yeux ne voulaient ou ne pouvaient pas sourire.

Je les aimais. Ils dessinaient. Ils se jetaient sur les couleurs comme les bêtes sur la viande.

Un de ces garçons était comme dans un perpétuel délire de création. Il peignait, composait de la musique et des vers.

Un autre, comme un ingénieur, construisait tranquillement son art.

Certains se donnaient à l'art abstrait, se rapprochant ainsi de Cimabuë et de l'art des vitraux des cathédrales.

Longtemps je me suis extasié sur leurs dessins, de leur balbutiement inspiré, jusqu'au moment où j'ai dû les abandonner.

Qu'êtes-vous devenus, mes chers petits ?

Quand je me souviens de vous, mon cœur se serre.

Pour être plus près de la colonie à Malachowka, on m'avait assigné une petite maisonnette en bois, vide. Il s'y trouvait cependant une mansarde habitable.

Notre unique lit de fer était si étroit que, le matin venu, on avait le corps tout meurtri et tout marqué.

Des tréteaux, découverts par hasard, nous permirent d'élargir un peu notre lit.

Cette maison avait conservé l'odeur de ses propriétaires évadés, l'air suffocant des maladies contagieuses. Partout traînaient des flacons de pharmacie, des saletés laissées par les bêtes domestiques.

Été comme hiver, les fenêtres restaient grandes ouvertes.

En bas, dans la cuisine commune, une paysanne hilare se chargeait de notre ménage.

En mettant le pain dans le four, riant de toutes ses dents, elle nous racontait à cœur ouvert, ses aventures.

« Au temps de la famine, racontait-elle, je traînais dans les trains de marchandises les sacs de farine que je me procurais à grand-peine dans les campagnes éloignées.

» Une fois, dans le train, continue-t-elle en riant, je me heurte à une patrouille de vingt-cinq miliciens. Je suis seule dans le wagon.

» C'est défendu d'emporter de la farine, disent-ils. Il y a un arrêté. Ne le sais-tu pas ?

» Eh ! bien je me suis couchée. Tous les vingt-cinq y sont venus, chacun à son tour. Je suis restée couchée.

» En échange, j'ai ramené mon sac de farine. »

Je la regarde droit dans la bouche.

La nuit, elle descendait au rez-de-chaussée où logeaient des gardes-forestiers.

Après quelque temps c'est dans son ventre déjà qu'elle portait des pains. Et elle est restée tout à fait chez ces gardes-forestiers.

Pourvu qu'ils ne montent pas tous chez nous, armés de leurs haches !

Dans les antichambres du « Narkompross[2] », j'attends patiemment que le chef du bureau veuille bien me recevoir.

Je voudrais pouvoir obtenir qu'on me règle, s'il est possible, le prix des peintures murales exécutées pour le théâtre.

Si ce n'est pas pour « la première catégorie » — celle qu'obtiennent facilement les artistes plus adroits que moi, — qu'on me donne au moins le minimum.

Mais le chef sourit.

« Oui... oui... vous comprenez, bégaye-t-il, les devis..., les signatures, les cachets... Lounatcharsky. Revenez demain. »

Cela dura deux ans.

J'ai reçu... une inflammation des poumons. Granowsky souriait aussi.

Que me restait-il à faire ?

Mon Dieu ! Soit, tu m'as donné du talent, du moins on le dit. Mais pourquoi ne m'as-tu pas donné une figure imposante pour qu'on me craigne et me respecte ? Si j'étais, par exemple, corpulent, de taille majestueuse, les jambes hautes, la tête carrée, alors on me redouterait, comme il en va le plus souvent en ce monde.

Mais mon visage est trop doux. Il me manque une voix retentissante.

Je suis désespéré.

Je me traîne dans les rues de Moscou.

Longeant le Kremlin, je regarde furtivement à travers ses vastes portes.

Trotsky descend de voiture ; il est grand, le nez bleu-rouge. D'un pas lourd et hardi, il passe le seuil, se dirige vers son appartement du Kremlin.

Une idée me vient : « Si j'allais rendre visite au poète Demyan Bédny, qui habite également le Kremlin et avec qui je me suis trouvé, pendant la guerre, au Comité Militaire, où nous étions en service tous deux ? »

Je vais lui demander sa protection et celle de Lounatcharsky, pour qu'on me laisse revenir à Paris.

J'en ai assez d'être professeur, directeur.

Je veux peindre mes tableaux.

Toutes mes toiles d'avant-guerre sont restées à Berlin et à Paris où mon atelier, plein d'esquisses, de tableaux inachevés, m'attend.

D'Allemagne, le poète Rubiner, mon bon ami, m'a écrit :

« Es-tu vivant ? On prétend que tu as été tué à la guerre.

» Sais-tu que tu es célèbre ici ? Tes tableaux ont créé l'expressionnisme. Ils se vendent fort cher. Toutefois, ne compte pas sur l'argent que te doit Walden. Il ne te paiera pas, car il soutient que la gloire te suffit. »

Tant pis.

Je pense plus volontiers à mes parents, à Rembrandt, à ma mère, à Cézanne, à mon grand-père, à ma femme.

Je serais allé en Hollande, au sud de l'Italie, en Provence, et me dépouillant de mes habits, j'aurais dit :

« Mes chers, vous voyez, je suis revenu vers vous. Je suis triste ici. La seule chose que je désire, c'est faire des tableaux et encore quelque chose.

Ni la Russie impériale, ni la Russie des Soviets n'ont besoin de moi.

Je leur suis incompréhensible, étranger.

Je suis certain que Rembrandt m'aime.

Ces pages

ont le même sens qu'une surface peinte.

S'il y avait dans mes tableaux une cachette, je pourrais les y glisser... Ou peut-être se colleraient-elles au dos d'un de mes personnages ou encore sur les pantalons du « Musicien » de ma peinture murale ?...

Qui peut savoir ce qui est écrit sur son dos ?

A l'époque R. S. F. S. R., je crie à mon aise :

Ne sentez-vous pas comme nos échafaudages électriques glissent sous nos pieds ?

Et n'étaient-ils pas justes nos pressentiments plastiques — puisque nous sommes véritablement en l'air, et souffrons d'une seule maladie : la soif de stabilité.

Ces cinq ans bouillonnent dans mon âme.

J'ai maigri. J'ai même faim.

J'ai envie de vous revoir, B..., C..., P... Je suis fatigué.

Je reviendrai avec ma femme, mon enfant.

Je m'étendrai près de vous.

Et, peut-être, l'Europe m'aimera et, avec elle, ma Russie.

Moscou, 1922.

Notes

1. page 220 : Marchât, en russe.

2. page 245 : Ministère de l'Instruction publique, dans la République des Soviets.

table
des quatorze eaux-fortes et pointes sèches reproduites en hors-texte
(Cassirer, Berlin 1923)

L'impression de ce livre
a été réalisée sur les presses
de l'Imprimerie l'Éclaireur
à Beauceville, Qué.